조금 별나도 그게 우리니까

조금 별나도 그게 우리니까

스텔라

즈비

최지원

정오

김동규

원지영

예빛

김시온

글Ego

여기 새로운 꿈을 꾸는 8명이 있습니다. 각자가 하고 싶은 이야기는 다르지만 인생에서 겪을 법한 일들을 우리의 언어로 표현하는 공통의 꿈을 꾸고 있습니다. 누구는 어렸을 때부터, 또 다른 누구는 지금으로부터 그리 멀지 않은 어느 날, 우연찮은 계기로 많은 이들에게 글로써 다양한 감정을 선사하는 날을 손꼽아 기다렸습니다. 그리고 마침내 완성했습니다.

누구나 할 수 있지만 결코 쉽지 않은 글쓰기. 창작의 고통에서 피어난 우리들의 이야기는 금방이라도 꺾여버릴 연약한 꽃 한 송이일지 모르지만 훗날, 바람을 타고 흩날리는 씨앗들이 되어 큰 꽃밭을 만드는 하나의 사건이 될 수도 있습니다. 마음이 행동으로 옮겨졌을 때 비로소 결과를 보게 됩니다. 할 수 있나 없나 고민하기보다는 무엇이든 해낼 수 있다고 믿는 믿음으로 도전하세요.

사랑과 우정, 그리고 꿈을 말하는 청춘들의 이야기가 지금 이 글을 읽고 있는 당신에게 위로와 공감이 되기를 바랍니다. 그리고 풀리지 않는 문제의 해답이 되어 새로운 꿈을 꾸는 도약의 발판이 되기를 바랍니다.

- 공동저자 中 김시온

차 례

들어가며 · 5

스텔라 **강·짝·지 프로젝트 성공기** · 9

즈비 **저택** · 55

최지원 **방콕을 여행하다.** · 91

정오 **어중간해도 특별한** · 117

김동규 **에스프레소 한잔** · 139

원지영 **안녕, 나의 요정님** · 157

예빛 **빛과 어둠 사이** · 181

김시온 **나의 작은 변화로 알게 된** · 203

강·짝·지 프로젝트 성공기

스텔라

스텔라   중학교 역사 교사로서 세상의 모든 이야기를 재미있게 전달하는 이야기꾼으로 살고 있습니다.

저는 평범한 사람이지만 빛과 소금의 삶을 살아간 역사 속 인물들을 본보기 삼아, 이 소박한 삶을 더욱 가치 있게 만들기 위해 항상 노력하고 있습니다. 이런 저를 한결같이 응원해주고 그 길을 함께 걸어가 주는 가족과 친구들을 생각하며 이 글을 쓰게 되었습니다. 이 글이 많은 분에게 힐링이 되고, 저마다 가슴에 품고 있는 추억으로의 행복한 여행을 떠나게 하는 계기가 되었으면 좋겠습니다.

'아주 멀리까지 가보고 싶어, 그곳에서 누구를 만날 수가 있을지~♪'

주원 오빠가 운전을 시작하자마자 차에서 내가 좋아하는 김동률의 '출발'이 흘러나오기 시작했다. 오빠의 음악 플레이리스트를 살펴보니 나랑 수진, 주원 오빠가 좋아하는 노래로 빼곡하다. 며칠 전 단톡방에서 좋아하는 노래가 뭐냐고 계속 묻길래 몇 개 알려주었더니 이걸 준비하려고 그랬나 보다. 그동안 오늘을 위해 이것저것 준비하며 신났을 주원 오빠의 모습이 떠올라 피식하고 웃음이 새어 나온다.

2022년 9월 24일 토요일 오전 10시, 하늘은 구름 한 점 없이 파랗고, 살짝 열어둔 자동차 창문을 통해 들어오는 바람에서도 이젠 가을 냄새가 물씬 느껴진다. 주원 오빠와 앞에 앉은 수진은 날씨조차 우리 편이라며 소풍 가는 꼬마들처럼 신나서 노래를 따라 부르기 시작했다. 반면 뒷자리에 앉은 나는 지난밤 뒤척이느라 제대로 못 자서 눈은 빨갛고, 가슴은 계속 콩닥콩닥해서 정신을 못 차리는 중이다. 지금 우리는 나의 고향인 경기도 A 시로 '강·짝·지 프로젝트'를 실행하기 위해 가고 있다. 어쩌다 일이 이렇게 된 것일까? 일주일 전 그날, 나는 이 두 사람을 만나지 말았어야 했다. 아니 만났더라도 내 입을 끝까지 잘 단속했어야 했다. 도대체 어디서부터 잘못된 것이지?

문제의 그 날

바닷물이 살랑살랑 다가와 모래사장을 걷고 있는 내 발목을 살짝 감싸 안더니, 이내 부끄러운지 재빨리 다시 바다로 돌아가고 있다. 나는 이렇게 아무도 없는 바다에서 파도 소리를 친구삼아 걷는 것을 좋아한다. 그런데 오늘은 저 멀리에서 나를 향해 걸어오는 한 사람의 실루엣이 보인다. '이곳은 나만 아는 곳인데 누구일까?' 그 실루엣이 내 앞으로 10m, 5m, 1m··· 점점 다가와 그 모습을 드러낸 순간 숨이 확 막혔다. 태현. 지금 내 앞에 태현이 서 있다. 그는 나를 보며 싱긋 웃더니, 갑자기 등을 보이며 왔던 길로 되돌아 걸어가기 시작했다. 가지 마. 제발! 나는 다급해진 맘으로 그를 잡기 위해 손을 뻗었다.

'카톡'

갑작스러운 소리와 함께 태현이 눈앞에서 사라졌다. 아! 또 꿈이었구나. 벌써 일주일째 비슷한 꿈의 반복이다. 나는 누운 채로 눈을 감고 꿈에서 본 태현의 다정한 눈빛을 잊지 않으려고 애쓰다, 한참 만에야 책상 위의 핸드폰으로 손을 내밀었다. 아침 7시. 누가 눈치 없이 내 행복한 시간을 깨버린 걸까? 사실 나는 이미 정답을 알고 있다. 달콤한 늦잠이 허락된 토요일에 꼭두새벽부터 이렇게 당당하게 메시지를 보내 감히 내 잠을 깨울 위인은 한수진뿐 이니까.

"오늘 20주년 파티 잊지 않았지? 저녁 7시에 선물 들고 'Blue bird'로~ 유후♡"

카톡 문자에 마치 음성 지원이라도 되는 것처럼 수진의 신난 목소리가 들려온다. 수진은 항상 유쾌하고 밝은 친구이다. 무슨 일이든 시도하고 부딪히는 것을 두려워하지 않는데, 매사 걱정 많고 조심스러운 나와는 완전 다른 성격을 갖고 있다. 가끔은 무식할 정도로 뭔가를 추진하는데, 아마 수진의 성향 검사를 하면 '초초초 태양인' 혹은 '트리플 E' 정도가 되지 않을까?

이렇게 성향이 다른 우리는 2002년 9월 17일, 경기도 P 시의 소망여고 자판기 앞에서 처음 만났다. 처음 만난 날까지 기억하는 까닭은, 얼마 전 수진이 발견한 고등학교 시절 다이어리에 우리가 만난 날이 적혀있었기 때문이다. 수진은 그 날짜를 발견했을 때, 콜럼버스가 신대륙을 발견한 것처럼 난리를 치며 전화를 했다. 그러면서 올해 9월 17일에는 20주년 만남 기념 파티를 꼭 해야 한다며 한 달 전부터 혼자 붕붕 날아다니는 중이다. 사실 나는 우리의 첫 만남에 대한 기억이 정확하지 않다. 수진의 기억에 따르자면, 그날 수진은 바이올린 콩쿠르 준비를 위해 4교시 후 조퇴하고 집에 가는 길이었는데 마침 콜라를 마시고 싶어 학교 자판기에 잠깐 들렀다. 그리고 자판기에 500원(당시 콜라는 500원)을 넣었는데 되는 놈은 뭘 해도 된다고 선물처럼 콜라 2캔이 굴러 나왔다고 한다. 오~ 느낌 좋아! 이번 콩쿠르도 잘될 거야! 하며 신나 있는데, 조그맣고 강아지처럼 생긴 애가 무슨 일이 있었는지 얼굴이 빨개져 자판기로 오더란다. 그리고 그 애 역시 콜라를 선택했는데 이번엔 자판기가 돈만 꿀꺽하고 콜라를 내주지 않는 것이었다.

"아~ 오늘 왜 이렇게 되는 일이 없지…"

그 강아지 같은 애가 이번에는 금방이라도 눈물을 뚝뚝 흘릴 것처럼 보여서, 수진은 자기도 모르게

"괜찮다면, 나 콜라 하나 더 있는데 마실래?"

하고 말을 걸었단다. 그랬더니 그 애가 잠시 머뭇거리다 곧 고맙다며 콜라를 받아서 원샷을 하더란다. 그 애가 처음엔 빨간 얼굴로 울려고 했다가 콜라를 다 마신 후에는 이제 좀 살겠다! 라며 활짝 웃는데, 그 모습이 강아지처럼 귀엽기도 하고 이 애를 알아두면 앞으로 재밌을 것 같다는 생각이 확 밀려와서

"난 1학년 8반의 한수진이라고 해. 우리 친구 하지 않을래?"

하고 말을 걸었다는 것이다. 그 조그만 강아지 같은 애가 바로 나 강지혜이다. 우리는 졸업할 때까지 단 한 번도 같은 반이 된 적은 없었지만, 매일 아침 자판기 앞에서 만나 소소한 수다를 나누었고, 그때부터 오늘까지 20년 동안 친구로 지내고 있다. 그리고 언제부턴가 수진은 나를 '강찌'라고 부르기 시작했다.

'Blue bird'는 수진의 사촌인 주원 오빠가 운영하는 카페이다. 오빠는 P 시에 살다가 10살 때 가족과 함께 서울로 이사 갔는데, 3년 전에

갑자기 혼자만 P 시로 내려와 'Blue bird'를 개업했다. 수진과 주원 오빠 둘 다 외동이고 엄마들이 우애 깊은 자매여서 두 사람은 오빠가 서울 가기 전까지는 늘 함께 자랐다고 한다. 이런 연유로 3년 전부터 수진과 나는 자연스럽게 'Blue bird'를 아지트로 삼았고, P 시에 아는 사람이 적었던 주원 오빠도 나를 동생처럼 아껴주어서 우리는 어느샌 가 삼총사로 지내기 시작했다.

황금 같은 토요일을 태현의 꿈 때문에 온종일 싱숭생숭하게 보내다 가, 조금 일찍 집에서 나와 'Blue bird'로 갔다. 카페는 10개의 테이 블이 거의 찼을 정도로 손님이 제법 있고, 배달 주문도 꽤 있는지 주원 오빠는 '왔어' 하고 인사만 건넨 후 정신없이 커피를 뽑아내고 있다. 수진은 아직 도착하지 않았다. 나는 아침부터 너무 마시고 싶던 핫초 코를 주문한 후 자리에 앉아 멍하니 창밖을 바라보고 있었다.

"주문하신 달콤한 핫초코 나왔습니다. Congratulations 20주년! 핫초코는 나의 선물~"

오빠에게 감사 인사를 한 후 시계를 보니 벌써 6시 55분이다. 바쁜 상황은 지나갔는지 오빠가 앞치마를 벗고 내 앞자리에 앉았다. 생각 보다 너무 뜨거운 핫초코에 놀라며 후후 불어 열을 식힌 뒤 막 한 모금 마시기 시작했을 때 수진이가 카페 문을 열고 들어왔다.

"Hi! 내 사랑 강찌~ 축하해! 나와 친구 된 지 20주년~ 선물은 잘 챙 겨 왔겠지?"

"당연하지. 그런데 친구야. 우리가 애인도 부부도 아닌데 굳이 20

주년까지 챙겨야 하는 거냐?"

"무슨 소리? 우린 애인 이상이지. 난 30주년에는 주변 사람도 초대해서 거대하게 파티할 거야. 하하."

하여튼 괴짜라니까 라고 생각하며 웃고 있는데, 수진이 내 손의 핫초코를 보고 표정이 확 바뀌었다.

"강찌! 혹시 이거 핫초코야? 너 무슨 일 생겼어?"

수진의 갑작스러운 큰 목소리에 놀란 주원 오빠가 나와 수진을 번갈아 보면서 무슨 일이냐고 물어왔다.

"강찌는 심각한 유당불내증이거든. 핫초코 마시면 밤새 난리 나는데, 얘는 옛날부터 무슨 일 있으면 아플 걸 알면서도 꼭 바보처럼 핫초코를 마시더라. 너 이번엔 솔직히 말해. 나 모르게 누구 만나다 헤어졌냐?"

"아무 일 없어. 쌀쌀해지니까 핫초코가 생각났을 뿐이야. 남들이 보면 내가 독이라도 마시는 줄 알겠다."

"지혜야. 네가 우리 카페에서 처음으로 커피 아닌 핫초코를 주문할 때부터 조금 의아했는데, 듣고 보니 뭔가 있구나! 사실 너 들어올 때부터 얼굴색이 안 좋아서 은근히 걱정했거든, 도대체 무슨 일인데?"

진실을 말하기 전에 넌 한 발자국도 못 움직여! 라는 압박을 담은 4개의 눈동자가 나를 뚫어지게 보았다. 긴 침묵과 눈싸움 끝에 결국 나는 손을 들었다.

"후~ 그 애 꿈을 꾸었어. 3년 만에 다시 시작이야. 벌써 일주일째 꿈에 나오고 있어."

"그 애? 누구? 설마 네 20년 전 첫사랑?"

"오~ 강지혜! 찐한 사랑이었나 보네. 20년 전 첫사랑이 꿈에 일주일이나 나오고."

"오빠. 아니에요. 꼬꼬마 때 순수하게 좋아했던 애였어요. 그리고 정확히는 첫사랑 아니고 짝사랑."

"근데 지혜야. 꿈에 짝사랑이 나오면 좋은 거 아냐? 왜 그것 때문에 배도 아픈데 핫초코를 마셔?"

"20살쯤부터 1년에 몇 번씩 그 애 꿈을 꾸곤 했어요. 꿈에서 그 애는 항상 웃으며 나를 봐요. 나는 너무 좋아서 무슨 말이든 하려 하지만, 이상하게 목소리가 나오지 않아요. 그리고 잠에서 깨어나면 어떨 때는 나도 모르게 계속 울고 있고, 그 감정에 온종일 휩싸여 있다가 실수도 참 많이 했어요. 지난 몇 년 동안 꿈을 꾸지 않아서 이젠 괜찮아진 줄 알았는데… 얼마 전 문득 고향 생각을 해서 그런가. 다시 시작이네요… 그리고… 사실… 그 애가 좋아했던 것 중 하나가 핫초코에요."

두 사람은 아무 말도 하지 않았다. 20년 전 짝사랑한 남자가 꿈에 나왔다고 침울해하는 나를 한심스럽게 생각하는 중이겠지. 나는 그동안 누구에게도 하지 않았던 이야기를 왜 했을까 하며 뒤늦은 후회를 하고 있었다. 그런데 갑자기 수진이 눈을 반짝이더니 입가에 사악한 미소를 짓기 시작했다.

"강찌! 너 꿈속의 짝사랑, 지난 20년 동안 만난 적 있어?"

"아니. 나 17살에 여기 P 시로 이사 온 후에는 그 애를 만난 적도 고향 근처에 가본 적도 없어."

"그래? 그럼 우리 네 짝사랑 만나러 고향 가자! 아무래도 그 애에 대한 오랜 그리움이 병이 된 것 같으니, 만나서 고백하고 이젠 그만 그 꿈에서 탈출하자!"

"무슨 소리야? 20년 전 좋아했던 애를 만나 뭘 어쩌라고? 이건 누구나 하나쯤 갖고 있는 흔한 짝사랑 이야기잖아. 뭘 그런 걸 갖고 낼모레 40인데 고백을 하러 가냐? 너 미친 거 아니야?"

"계속 꿈에 나온다는 건 보고 싶어서잖아? 내가 웬만하면 그냥 살라고 하겠는데, 네가 20년째 그 사람한테 휘둘리는 걸 보니 안 되겠어. 네가 너무 첫사랑을 멋지게만 기억하고 있어서 그럴 수도 있거든. 나이 든 아저씨 모습으로 변한 그 사람을 만나면 네 맘도 달라지고 더는 그 꿈도 안 꾸지 않을까?"

나는 수진에게 네가 바이올리니스트이지 심리학자냐며 억지 부리지 말라고 화를 냈다. 하지만 수진은 내게 뭐가 그렇게 두렵냐며, 시도해보지도 않고 포기하는 건 강지혜답지 않다며 주장을 굽히지 않았다. 그리고 주원 오빠에게 쇠뿔도 단김에 빼야 한다며 당장 이번 주 토요일에 내 고향으로 떠나자고 했다. 당황한 오빠가 주말엔 카페를 비울 수 없으니 사람이 더 필요하면 수진의 남편을 데리고 가라며 한 발 뒤로 뺐다. 그러자 수진은 오빠에게 20년 만에 찾아가는 고향에 어떻게 여자 두 명만 보낼 수 있냐며 의리가 없다고 했다. 그리고 자기 남편이 강찌랑 같은 학교 선생님인데 어떻게 함께 하자고 하냐며, 이 이야기를 자기 남편이 아는 순간, 어쩌면 강찌는 자기들과 진짜로 연을 끊을 수도 있다고 했다. 그러면서 카페는 사방에 있는 조카들에게 아르바이트비 넉넉히 준다고 하면 서로 하겠다고 할 테니, 이번이야말로 멋진 삼촌이 될 좋은 기회라며 설득했다. 주원 오빠가 살짝 흔들리는 기색을 보이자, 수진이 마지막 말로 쐐기를 박았다.

"그럼 나 이번에 그 소원권 쓸게. 오빠가 'Blue bird' 시작할 때, 내게 급전 빌리면서 언젠가 내 소원 하나 들어준다고 했잖아. 나 이번에 그거 씁니다!"

'오빠. 제발 안 한다고 해요. 이게 무슨 바보 같은 짓이냐고 해요' 라고 애절한 눈빛을 담아 텔레파시를 보내고 있는데, 주원 오빠가 수진과 내 얼굴을 잠시 쳐다보고 고민하더니

"O.K.! 지혜의 미래가 달린 일인데 내가 빠질 순 없지! 그럼 옛날처럼 한번 움직여볼까? 거래 성립!"

하면서 수진의 손을 잡았다.

나는 정말 끝까지 최선을 다해 거부했다. 하지만 핫초코를 마신 이유를 그동안 왜 숨겼냐면서 자신에게 미안한 맘이 있다면 이 계획을 받아들이라고 급기야 눈물까지 뽑아대는 수진에게 결국 나는 항복하고 말았다. 나의 항복 선언을 받자마자 두 사람은 마치 흥신소 직원인 것처럼 바로 계획을 세우기 시작했다.

♣ 강찌의 짝사랑 지우기 프로젝트(일명 : 강·짝·지 프로젝트) ♣

【활동 기간】
2022년 9월 24일(토) ~ 2022년 10월 8일(토). (딱 3주)

【MISSION】
짝사랑 찾아 고향 가기 -〉 만나기 -〉 고백하기
① 싱글일 경우 : 과감히 고백… 그 이후는 운명에 맡기기!
② 싱글이 아니거나 고백이 자신 없으면(할 맘이 사라지면)
　- '반가웠어. 친구야' 라고 인사만 하고 온다..

【주의사항】
① 이 일은 우리 셋만의 비밀로 한다. 제삼자의 도움은 절대 받지 않는다!
② 강찌의 고향 친구들이 알지 못하도록 조용히 진행한다!

　　저 허술한 계획을 세우던 두 사람은 너무 신나서 꼬리를 팔랑팔랑 흔들어대는 한 쌍의 리트리버 같았다. 수진은 원래 엉뚱한 애지만 주원 오빠까지 왜 저러지? 두 사람에게 속수무책으로 당해버린 나 자신을 탓하며 집으로 터덜터덜 걸어오는데, 문득 예전에 수진의 엄마가 했던 말이 섬광처럼 머리를 스쳐 갔다.

"두 발로 걷기 시작했을 때부터 수진이가 사촌 오빠랑 말썽 좀 많이 쳤었지. 어찌나 죽이 잘 맞던지. 한번은 주운 라이터 갖고 장난치다가 외할머니네 뒷동산을 홀라당 불태운 적도 있었잖아. 호호."

짝사랑이 무너지던 날

'Remember me, Though I have to say goodbye, Remember me, Don't let it make you cry, For even if I'm far away. I hold you in my heart, I sing a secret song to you, each night we are apart~ ♪'

출발한 지 30분째, 토요일이지만 다행히 고속도로는 한산하다. 플레이리스트에서는 다시 내가 좋아하는 영화 코코의 OST가 흘러나오고 있다. Remember me~ 그 애는 나를 기억이나 할까? 이런 생각에 빠져있는데, 주원 오빠가 무언가 석연치 않다는 듯이 내게 폭풍 질문을 하며 백미러로 눈치를 살폈다.

"지혜야. 네 고향, 1시간 거리면 진짜 가깝네. 근데 왜 20년 동안 한번도 고향에 안 갔어? 짝사랑 말고 고향 친구들도 있잖아. 그 애들이랑은 연락하니? 혹시 어렸을 때 고향에서 무슨 일이 있었어?"

"친구 물론 있죠. 그런데 지금 연락하는 애들은 없어요. 그냥 이사하고 새로운 상황에 적응하며 살다 보니 그렇게 되었네요."

"오빠. 강찌는 옛날부터 전화를 잘 안 해. 그래서 나도 처음엔 상처 많이 받았다니까. 내가 먼저 계속 연락 안 했으면 어쩌면 우리도 진작 끊어졌을걸. 아마 강찌 쟤가 고향 친구들한테도 연락 잘 안 해서 끊어진 걸 거야."

때로는 안 좋은 습관이 난관을 극복하는 데 도움이 되기도 한다. 오빠는 수진의 말을 듣고 고개를 끄덕이더니 더는 묻지 않았다. 나와 고향 친구들의 인연이 끊어지게 된 진짜 이유. 그것은 사실 나의 바보 같고 어리석었던 선택 때문이었다.

서울에 살던 우리 가족은 아버지 사업 실패 후 귀촌해 내가 3살 되던 해부터 경기도 A군 기정면 우진1리로 와서 살았다(A 군은 나중에 A 시로 승격됨). 우진1리는 마을 아래에서 위로 갈수록 점점 지대가 높아져 산으로 연결되는 형세의 마을이었다. 최씨 집안 집성촌으로 총 70여 호 정도가 살고 있었는데 그중에 50호 정도는 최씨 집안이었고, 나머지는 우리와 같은 외지인이었다. 우리 집은 마을에서도 가장 위쪽, 산 바로 밑에 자리 잡고 있었다. 빈손으로 시골에 내려온 부모님은 한동안 고생하다가 운 좋게도 마당이 제법 넓고 텃밭도 갖추고 있던 그 집을 마련하셨다. 산 아래 위치해서 뱀과 벌레도 자주 출몰하고 겨울이면 바람도 제법 차가웠지만, 나에게는 가족과 함께 하는 그곳이 세상 최고로 안전하고 따뜻한 곳이었다. 그리고 기억 속 어느 순간부터 내 옆에는 언제나 아랫집(우리 집보다 지대가 좀 낮아서 아랫집이라고 불렀음) 살던 현우가 있었다. 현우는 그 동네에서 나와 유일한 동갑 친구였는데, 우리는 서로의 동생을 데리고 온종일 산과 들로 뛰어다니며 자연이 제공해 주는 다양한 놀거리를 함께 누린 소꿉친구였다.

7살이 되던 해에 우리 마을에 유치원이 처음 생겼다. 마을에 아이들이 제법 많아지자 최씨 문중에서 힘을 모아 유치원을 세웠고, 덕분에 나도 유치원에 다닐 수 있었다. 시골 마을의 유치원은 당시로서는 드문 일이라서 곧 이웃한 우진2리, 3리에 사는 아이들도 원생으로 오게 되었다. 그때 나는 처음으로 동갑 여자친구를 만났다. 언제나 남자아이처럼 바지만 입고 다닌 나와 다르게 늘 예쁜 원피스를 입었던 천사 같던 김설아. 설아는 우진 3리에 살았는데 어렸을 때부터 몸이 약해 병원에 자주 다니는 아이였다. 처음 생긴 여자친구라 나는 설아가 너무 신기하고 좋았다. 그래서 어느 순간부터 몸이 약한 설아를 도와주며 그 애 옆에 함께 있었다. 나에겐 이처럼 초등학교 입학 전부터 이미 소중한 친구가 2명이나 있었다. 현우랑 설아 중에 누구와 더 친했냐고 묻는다면, 그래도 현우가 조금 더 가까웠던 것 같다. 현우는 내 인생의 첫 친구이자 3살부터 매일 함께했던 형제나 다름없는 존재였으니까.

1993년 8살이 되어 마을에서 2km 떨어진 노진리에 있는 초등학교에 입학했다. 처음 만나는 낯선 60명(당시 1학년은 30명씩 2개 반)의 친구들과 버스로 등하교해야 하는 엄청난 변화 속에서도 나는 제법 잘 적응했다. 현우와 설아가 같은 반이어서 새로운 환경에 어색함이 없었고, 유치원에서 초등학교 생활에 필요한 기본적인 것을 잘 배운 덕분에 내게 있어 9살까지 학교는 그저 즐거운 유치원의 확장판일 뿐이었다.

하지만 태현을 알게 된 10살. 내가 알던 세상은 달라지기 시작했다. 나는 태현을 3학년 때 처음 만났다. 처음에 태현은 그냥 같은 반 아이였을 뿐이었다. 학교 앞 문방구 집 아들. 다른 아이보다는 키가 한 뼘 정도 더 크고, 마르고 얼굴이 약간 까맣던 아이. 그리고 의외로 평소엔 말이 별로 없는 아이.

초여름의 어느 날, 선생님은 우리에게 눈을 감고 클래식 음악을 감상하게 하셨다. 10살 한창 청개구리 같던 우리에게 클래식은 지루한 자장가일 뿐이었다. 나도 처음엔 선생님이 무서워 눈을 감고 있었지만, 단 몇 분을 버틸 수가 없었다. 결국 어느새 실눈을 뜨고 몰래 주변의 친구들과 장난을 치고 있었다. 그런데 뒤를 보니 태현이 오른손으로 턱을 괴고 눈을 감은 채 음악 감상을 하는 것이 아닌가. 처음엔 당연히 그 아이가 자고 있다고 생각했다. 하지만 계속되는 친구들의 짓궂은 장난에도 아랑곳하지 않고 음악이 끝날 때까지 어떤 미동도 없이 태현은 진짜로 음악을 감상하고 있었다. 사람의 마음은 참 이상한 것이다. 그다지 특별한 것 없는 그 순간, 태현이 내 마음속으로 훅 들어와 버렸다. 다른 애들에게서는 본 적 없는 진지한 분위기를 가진 그 아이에게 말 그대로 꽂혀 버렸다. 그리고 그때부터 참으로 지독한 7년간의 짝사랑이 시작되었다.

태현을 좋아하게 된 계기를 나는 그 누구에게도 말한 적이 없다. 누구든지 이 이야기를 들으면 나를 비웃을 것이 분명하니까. 하지만 사랑의 시작은 그런 것이다. 누구도 정의할 수 없는 모습으로 사랑은 시작된다. 내 사랑이 그랬다. 나의 어린 시절은 태현을 만나기 전과 그 후의 세계로 나뉜다. 그날부터 나는 선머슴 같이 굴던 짓을 그만두었다. 현우와도 학교에서는 더는 뛰어놀지 않게 되었다.

어느 날 학교에서 현우와 서로의 집 이야기를 하는 모습을 본 남자애들이 우리를 부부라고 놀렸다. 예전 같으면 그렇게 말하는 애들 등을 세게 때리면서 까불지 말라고 웃고 말았을 텐데, 어느 순간 태현도 우리를 그렇게 생각하면 어떻게 할까를 걱정하기 시작했고, 그때부터 학교에서 서서히 현우를 멀리하기 시작했다.

이렇듯 내 삶의 중심에는 항상 태현이 있었다. 아침에 눈을 떠 맞이하는 첫 햇살, 창문 열고 만나는 바람에서도 나는 태현의 얼굴을 보았고 목소리를 들었다. 학교 가는 길이 너무 신났고, 일요일은 너무 슬펐다. 쉬는 시간마다 친구들과 운동하는 태현의 모습을 보는 것이 기쁨이었고, 그가 나를 조금이라도 더 좋은 사람으로 기억해 주기를 바랐다. 그래서 나는 학교 활동과 공부에도 최선을 다했다.

태현을 향한 내 마음은 중학생 때도 변함없이 계속되었다. 우리는 기정면의 하나뿐인 중학교로 함께 진학했지만, 남자반과 여자반으로 나뉘었기에 안타깝게도 한 교실에서 만날 수는 없었다. 초등학교부터 중학교까지 총 9년을 같은 반에 있었던 설아와 나는 여전히 친했고(설아와 같은 반이 될 때마다 우리는 운명이라며 기뻐했는데, 사실은 설아네 엄마가 우리를 같은 반으로 해달라고 매년 학교에 부탁했기 때문임), 중학교 2학년 때 우진 2리로 이사 온 눈이 참 예쁘고 맘이 고왔던 임다희와 함께 우리 셋은 우진리 삼총사로 늘 함께 지냈다. 순하고 착한 현우는 뭔가를 눈치챈 것인지 학교에서는 거의 내게 말을 걸지 않았다. 중학생이 되면서 나보다 훨씬 커져 버린 현우는 그 당시 남학생 중에서도 가장 키가 컸던 태현과 앞뒤 번호가 되더니 언제부터인가 늘 함께 다녔다. 그래서 내가 바라보는 시선 끝에는 언제나 현우와 태현이 늘 함께 있었다.

찬 바람이 불기 시작한 3학년의 겨울, 나와 현우, 설아, 다희, 태현은 모두 기정면 밖에 있는 서로 다른 고등학교로의 진학이 결정되었다. 내년부터 학교에서 태현을 볼 수가 없다고 생각하니 나는 어느 순간 마음이 조급해졌다. 그래서 마음을 굳게 먹고 이 지독한 짝사랑을 끝내기로 했다. 올해 크리스마스에 내 마음을 반드시 전하리라! 그렇게 다짐을 하고 고백을 준비하고 있던 어느 날, 설아가 조심스럽게 내게 물었다.

"지혜야, 혹시 너 현우 좋아해?"

"아니. 왜 그렇게 생각해?"

"네가 항상 현우를 바라보고 있는 걸 봤어. 나는 얼마 전부터 태현이가 좋아져서 고백할까 생각 중이거든. 그런데 너도 현우를 좋아하는 것 같아서 함께 고백하면 어떨까 하고. 근데 진짜 아니야?"

설아가 태현을? 분명 다른 애를 좋아한다고 알고 있었는데… 설아의 마음을 알게 된 이 상황에서 내가 태현에게 고백을 해도 될까? 나는 며칠 동안 몸살을 끙끙 앓았다. 그리고 결국 나는 우정을 선택했다. 내게 설아는 상처가 아닌 언제나 지켜주어야 할 친구이니까. 하지만 고백을 결심한 이후부터 내 마음은 점점 더 부풀기 시작해서, 이젠 누군가에게라도 쏟아내지 않고서는 버틸 수가 없었다. 그래서 결국 나는 유난히 캄캄하고 별조차 보이지 않던 겨울밤에 다희를 찾아갔다.

"다희야. 나. 너무 힘들어서 너에게라도 말하려고 왔어. 얼마 전에 설아가 나에게 태현을 좋아한다고 말했거든. 근데 나도 꽤 오랫동안 태현을 좋아했어. 하지만 설아가 속상할까 봐 고백은 안 할 거야. 마지막으로 너에게만 말하고 나도 이 마음 끝내려고…"

내 이야기를 듣고 안타까워하던 다희를 두고 돌아오는데, 야속하게도 첫눈이 너무 예쁘게 내리기 시작했다. 나는 그 눈을 맞으며 오랫동안 집에 들어가지 못하고 문밖에서 숨죽여 한참 울었다. 그리고 빨간 눈으로 집에 들어갔을 때, 졸업식 3일 뒤에 우리 집이 P 시로 이사 가게 되었다는 또 한 번의 청천벽력 같은 이야기를 듣게 되었다.

"강찌. 근데 나 궁금한 게 있는데…"

옛 생각에 빠져있던 나를 수진이 현실로 불러냈다.

"어떻게 7년이나 좋아한 사람한테 고백을 안 했어? 정말 시도도 안 했어?"

"안 하려고 했는데, 이사가 결정되니까 도저히 안 되겠더라고. 졸업식이 2월 14일이었거든. 그래서 초콜릿과 편지를 준비했었지. 그런데 바보처럼 주지 못했어. 그 애 앞에 서니까 입이 끝까지 안 떨어지더라고.”

“그래서 그 초콜릿과 편지는 어떻게 했어?”

“초콜릿은 졸업식 때 현우에게 주었어. 편지는 어딘가에 분명히 두었는데, 나중에 아무리 찾아도 없더라고.”

“지혜야. 근데 현우는 누구? 그리고 설마 태현 씨와 같이 있을 때 현우 씨한테 초콜릿 준 건 아니지?”

“오빠. 현우는 제 소꿉친구예요. 그리고… 그 초콜릿 줄 때… 현우 옆에 태현이 있던 것 맞아요.”

“와~ 강찌. 이건 평생 이불킥 감이다. 그럼 태현 씨는 지금도 네가 현우 씨 좋아했다고 알고 있겠네. 그러니 네가 한이 맺혀 그런 꿈을 꾸지. 역시 이 프로젝트는 하길 잘했어. 우리 꼭 태현 씨 만나 오해 풀자!”

“그런데 있잖아… 나 두 사람에게 안 한 이야기가 있는데… 사실 태현은 내가 자기를 좋아한 것 이미 알고 있어. 고향 친구들도 마찬가지이고.”

“WHAT? 이건 또 무슨 소리야? 고백 못 했다며? 강찌! 제발 숨김없이 한 번에 다 말해 달라고!”

나는 끝내 아무 말도 못 하고 2002년 2월 17일, 고향을 떠났다. 하지만 한 번 입 밖으로 나온 말은 주워 담기 힘든 법. 2002년 전 국민이 붉은 악마로 변했던 뜨거웠던 6월, 월드컵 4강 진출을 확정 짓고 모두가 흥분의 도가니에 빠져있던 그 날, 그 일이 발생했다. 고향에서도 면

민이 함께하는 단체 응원전이 열렸고, 그 자리에 참여했던 몇 명의 녀석들이 뒤풀이를 위해 친구들을 하나씩 불러 모아 얼떨결에 제1회 중학교 동창회가 열리게 되었다. 그 자리에는 나를 제외한 현우, 태현, 설아, 다희 모두가 참여했다. 오랜만에 만난 친구들은 한참 동안 서로의 안부를 나누다가 어느 순간 한 녀석의 제안으로 진실게임을 하게 되었다. 그때 누군가 다희에게 "너 중학생 때 태현이 좋아했지?" 라는 방아쇠를 당겼고, 다희가 절대 아니라고 부정했음에도 친구들이 계속 놀려대자, 결국 "나 아니라 지혜가 오랫동안 태현을 좋아했단 말야!" 라고 총알을 발사해 버린 것이다. 그리고 그 총알은 핵폭탄이 되어 다시 내게로 왔다. 다음날 다희는 내게 전화해 자기가 얼떨결에 실수했다며 용서해달라고 사과했다. 나는 너무 놀라 한동안 아무 말도 할 수 없었다. 간신히 정신을 차린 후 그 이야기를 들은 태현과 설아는 어땠냐고 물었다.

"태현은 아무 말 없이 담담하더라고. 설아는 그 사실을 자기에게 왜 숨겼냐며 서운해하길래, 나중에 둘만 있을 때 지혜가 너를 배려해서 그런 것이라고 말해 주었어. 하지만 네 맘을 진작 알았다면 자기가 포기할 수도 있었는데 지혜는 왜 자기를 끝까지 이기적인 사람으로 만든 거냐며 더 속상해하더라. 그런데 현우가 의외였어. 현우가 엄청 화를 냈거든. 자기는 지혜랑 비밀 없는 사이인데 그런 말 들은 적 없다고, 모두 그만하라면서 화내고, 계속 표정이 굳어 있었어. 마치 자기만 빼고 비밀을 나눈 너와 내게 화를 내는 것 같았어."

태현과 고향에 대한 그리움을 간신히 참아내고 있던 나는 그 순간 완전히 무너졌다. 마음속 예쁜 상자에 소중히 숨겨 둔 내 사랑이 단지 친구들 사이의 가벼운 가십거리로 전락했고, 나는 온몸이 벌거벗겨져 치부가 드러난 채 조롱받고 있는 것 같았다. 나는 내 사랑이 그렇게 하찮은 모습으로 세상에 드러난 것이 미치도록 싫었다. 그리고 태현이 담담했다는 말을 듣고, 나는 그 애에게 어떤 감정의 변화도 일으키지 않을 정도로 아무것도 아니었음을 깨달았다. 계속 숨이 막히고 눈물이 흐르고, 속상함과 부끄러움에 아무것도 할 수 없었다. 그러면서도 여전히 태현이 보고 싶기도 하고, 태현을 영원히 볼 수 없도록 지구 건너편으로 도망가고 싶은 양가감정 사이에서 갈팡질팡하며 정신없이 며칠을 보냈다. 그리고 어느 순간 나는 모두가 밉고 원망스러워졌다. 모두에게 내 이야기를 해버린 다희, 나의 희생을 이해하지 못하고 서운해한 설아, 소꿉친구인 자신에게 아무 말도 하지 않았다고 화를 냈다는 현우까지 모두가 너무 싫어졌다. 나는 그들과 연락을 끊기로 했다. 실연의 아픔으로 모든 것을 원망하기 급급했던 나는 친구들이 그동안 내게 준 사랑과 소중함을 망각한 채 그렇게 친구들의 손을 놓아 버렸다.

강·짝·지 원정대 활동 시작

"와~드디어 도착이다! 저 멀리 보이는 곳이 네가 다니던 중학교지?"

"맞아. 왼쪽이 중학교, 길 건너 맞은편이 초등학교. 근데 학교가 이렇게 작았나? 모두 내 기억보다 훨씬 작네. 나이 들면 기억 속의 사물도 늙고 작아지나? 왜 이렇게 낯설지? 저기 학교 앞에 2층 건물이 태현의 집이야. 1층은 문방구, 2층은 가정집. 문방구 맞은편에서 늘 집에 가는 버스를 탔는데, 버스 기다리면서 혹시 그 애가 보일까 싶어 2층을 참 많이 바라보았어. 근데 지금은 문방구가 분식점으로 바뀌었네!"

차를 세워두고 우리는 두 학교를 돌아보았다. 친구들과 뛰어놀던 운동장과 유리창을 통해 들여다본 학교 건물 안 구석구석에서 어린 시절의 내 모습을 보았다. '지혜야. 그동안 너는 이곳을 잊고 어떻게 살았니?' 어린 지혜가 어른인 나에게 물었다. 순간 울컥해서 눈물이 핑 돌았다.

감정을 추스르고 한 시간 정도 이곳저곳을 돌아본 후, 우리는 분식점으로 향했다. 혹시 태현의 부모님이 분식점을 하고 있다면, 우리의 프로젝트는 생각보다 쉽게 끝날 것이다. 두근거리는 마음을 안고 분식점 문을 밀었다. 어서 오세요! 50대 아주머니가 활짝 웃으며 우리를 맞이했다. 아! 그녀는 태현의 엄마가 아니다. 아무래도 우리의 깔끔한 성공은 물 건너간 것 같다.

주원 오빠가 김떡순 세트를 주문하며 아주머니에게 웃는 인상이 좋다고 능청스럽게 말을 건넸다. 아주머니는 그런 이야기를 종종 듣는

다면서 우리에게 이 동네 사람이 아닌 것 같다고 했다. 나는 조금 멀리서 왔다고 말하고, 여기가 예전에는 문방구였는데 언제부터 분식점으로 바뀌었냐고 물었다. 아주머니는 2년 전 이사 와 가게를 인수한 후 분식점으로 바꾸었다고 했다. 수진이 나를 가리키며 이 친구가 앞의 학교에 다녔고, 만나고 싶은 친구가 있어서 무작정 이 동네로 왔는데 생각보다 친구 찾기가 어렵다며 죽는소리했다. 그리고는 혹시 예전 문방구 사장님 연락처를 알고 있느냐며, 그분께 물어보면 친구를 쉽게 찾을 수 있지 않을까 싶다고 운을 띄웠다. 아주머니는 안타까워하며 문방구 사장님은 다행히 지금도 이 건물 2층에 살고 있지만, 며칠 전에 해외여행을 떠나셨다고 말했다. 그러면서 연락처는 갖고 있지만, 자신이 함부로 말해 줄 수는 없다며 대신 우리의 연락처를 주면 나중에 문방구 사장님께 전해주겠다고 했다. 주원 오빠는 자신의 명함을 건네며 혹시 문방구 사장님이 현재 자녀들과 함께 살고 있냐고 물었다. 아주머니는 큰아들은 서울에서 회사 다니고 둘째는 해외에 있다고 들었지만, 자신은 둘 다 안면만 있는 사이라서 그 이상은 알지 못한다고 했다. 몇 가지를 더 묻고 싶었지만 마침 가게에 주문 전화가 밀려들면서 더 이상의 대화는 어려워졌다. 수진이 아쉬운 듯 나를 보면서 말했다.

"그냥 처음부터 찾는 사람이 장태현이라고 말할 걸 그랬어. 나답지 않게 너무 조심히 접근했네. 그나저나 강찌! 네가 찾는 사람이 첫째야? 둘째야?"

"… 둘째 …"

우리는 서로를 바라보며 기가 막힌 듯 웃었다. 해외라니? 나는 아무래도 이 프로젝트는 여기에서 끝내는 것이 맞는 것 같다고 했다. 하지만 두 사람은 아직 우리에겐 약속한 3주가 남았고, 해외에 있는지도 직접 확인하기 전에는 모르는 것이니 우선 태현의 부모님 연락을 기다려보자고 나를 다독였다. 분식점을 나와 다른 가게로 가 탐문 수색을 더 해보려 했지만, 토요일 오전이라서 그런지 문을 연 가게가 별로 없었다. 그래서 우리는 노진리에서는 그만 철수하고 2km를 달려 우진 1리로 향했다.

우진1리는 생각보다 많이 변해 있었다. 마을 아래에는 도로 양쪽으로 상가들이 줄지어 있고, 마을 위쪽은 빌라로 가득 차 있었다. 아무래도 서울과 가깝다 보니 개발이 많이 된 것 같고, 외지인도 많이 들어와 사는 것 같았다. 그래도 다행히 현우네 집과 우리 집은 그대로 그 자리를 차지하고 있었다. 현우네 집에는 지금 낯선 사람들이 들어와 살고 있다. 동생에게 예전에 들은 정보에 따르면 현우 부모님은 이 집은 세를 주고 마을 아래로 내려가 작은 가게를 하면서 살고 있다고 했다.

우리 집을 보자 갑자기 옛 생각에 가슴이 뭉클해진다. 저 문을 열면 당장이라도 젊은 시절의 엄마, 아빠와 동생이 나를 반겨줄 것 같다. 얼마 전 돌아가신 아빠가 P 시로 이사 가기 몇 해 전에 심어두었던 집 뒤의 밤나무도 크고 멋있게 자라 있었다. 밤이 열리면 꼭 맛있게 쪄 먹자고 했었는데… 밤이 저렇게 풍성하게 열려 있는데, 이 소식을 들어줄 아빠는 이제 없다. 고향에 오니 잊었던 옛 추억과 아빠에 대한 그리움이 마구 밀려오기 시작했다. 그때 참 행복했었지! 나는 왜 그 추억을 다 잊고 있었을까? 어쩌다 이곳에 오기까지 20년이나 걸린 것일까? 이렇게 눈 딱 감고 와버리면 그만인 것을. 혹시 아는 사람이 있을까 싶어서 마을 이곳저곳을 걸어 보았지만, 동네에는 이상하리만큼 밖에 나와 있는 사람이 없었다. 한참 걸으며 동네 여기저기에 얽힌 내 어릴 적 이야기를 하다 보니 배가 출출해지기 시작했다. 추억도 배고픔 앞에서는 어쩔 수 없는 일이다. 못다 한 이야기는 다음에 또 하자고 약속한 후, 우리는 검색으로 찾아낸 근처의 유명한 식당으로 향했다.

3시가 넘었음에도 식당에는 사람이 제법 많았다. 불판 위에 고기가 '촤~'하고 익어가는 소리에 어느새 입안 가득 침이 고인다. 소고기 모둠 세트를 주문하고 한참을 기다리고 있는데, 갑자기 누군가가 내 오른쪽 어깨에 손을 얹으며, 너 혹시 강지혜? 하고 큰 소리로 물었다. 깜짝 놀라 자리에서 일어나 뒤를 돌아보니, 그곳에는 너무도 익숙한 선한 얼굴의 현우가 나를 보며 상기된 모습으로 서 있었다.

"최현우? 너…"

너무 당황해서 제대로 말도 못 잇고 있는 나를 현우가 갑자기 확 끌어안더니

"이 나쁜 녀석아, 이게 얼마 만이야. 왜 이제야 왔어?"

라며 나를 나무랐다. 현우의 돌발행동에 나뿐만 아니라 식당 안 사람들도 모두 어안이 벙벙해져 입을 벌리고 보고만 있고, 고기 익어가는 소리만 영화의 효과음처럼 들려왔다.

"현우야. 나 숨 막히거든. 나 어디 안 도망가니까 이거 풀고 이야기하자."

"저기요. 선생님. 주변 시선도 있으니 이젠 그만 지혜 놓아주시는 게 어떨까요?"

주원 오빠의 말에 현우는 그제야 나를 놓아주었다. 그러더니 오빠를 향해 고개를 숙이며 정중히 사과했다.

"죄송합니다. 혹시 지혜 애인이신가요? 오해는 하지 말아주세요. 저는 지혜 어릴 적 친구인 최현우라고 합니다. 너무 그리웠던 친구를 생각지도 못한 장소에서 만나서 그만 실수 했네요."

"아니에요. 저희도 지혜 친구일 뿐이에요. 만나서 반갑습니다. 혹시 괜찮으시면 함께 자리하실래요?"

"감사합니다만, 아쉽게도 제가 약속이 있어서요. 지나가다가 지혜를 발견하고 너무 놀라서 저도 모르게 들어와 버렸네요."

"현우야… 그동안… 잘 지냈어? 근데 너 부산에서 직장 다닌다고 들었는데, 어떻게 지금 여기에 있어?"

"강지혜. 나 부산 사는 건 어떻게 알아? 하여튼 내가 지금은 가야 하니까, 너 핸드폰 줘봐."

현우는 자기 번호를 찍은 후 꼭 저장하라고 했다. 그리고 가까운 시일 내에 전화할 테니까 꼭 받으라고 몇 번이나 강조해서 말한 뒤 아쉬워하며 인사를 하고 밖으로 나갔다.

"저 사람이 네 소꿉친구 최현우라고? 오~ 잘생기고 엄청 박력 있는데. 너 왜 저 사람 두고 딴 사람 좋아했니? 너 사실은 장태현 말고 최

현우 찾으러 온 거지? 제발 그렇다고 해줘. 나도 저런 소꿉친구 갖고 싶다~."

수진이가 부럽다며 나를 쿡쿡 찔러대며 놀려대기 시작했고, 주원 오빠는 두 사람의 HUG 장면에 너무 놀라 간장을 바지에 흘렸다며 화장실로 갔다. 수진은 내게 현우가 부산 사는 건 어떻게 알았냐고 물었다. 나는 우리의 동생들끼리는 가끔 연락하는데 언젠가 내 동생을 통해서 들었다고 말해 주었다. 그 후 무슨 정신으로 밥을 먹었는지도 모르게 식사를 마치고, 우리는 다시 P 시로 돌아왔다. 그런데 당장이라도 전화할 것 같던 현우는 며칠이 지나도 아무런 소식이 없었다. 먼저 연락할까도 생각했지만, 무슨 말로 첫 시작을 열어야 할지 자신이 없어서 그만두었다. 때가 되면 현우가 알아서 하겠지. 하지만⋯ 연락은 끝내 오지 않았다.

내게 오는 길

고향에 다녀온 지도 10일이 지났다. 태현의 부모님은 아직도 여행 중인지 연락이 없고, 수진이도 갑자기 시댁에 일이 생겨서 지난 주말은 각자 쉬기로 했다. 그런데 10월 6일, 목요일에 수진이가 전화해 이번 주 토요일에 코엑스에서 열리는 커피 관련 행사에 주원 오빠가 참석해야 하니, 함께 코엑스에 갔다가 A 시로 이동하자고 했다. 그렇게까지 해야 하나 싶어 거절하려다 이번 주가 우리가 약속한 프로젝트의 마지막 3주 차라는 것이 떠올라 알겠다고 했다. 수진은 서울 가는 거니까 때 빼고 광내고 예쁘게 입고 오라고 신신당부를 했다.

10월 8일 토요일, 우리는 함께 코엑스로 갔다. 긴 일정을 위해 먼저 점심을 든든히 먹고 13시경 행사장으로 갔다. 여기저기 재미있게 구경을 하던 중에 수진이 화장실을 다녀오겠다며 자리를 떴고, 주원 오빠는 누군가에게 전화를 받더니 갑자기 나에게 부탁이 있다며 서류 봉투를 하나 주었다.

"지혜야. 나 대신에 1층 O 카페에 가서 내 예전 직장 후배에게 이것 좀 전해주라. 내가 예약한 프로그램이 있어서 지금 꼭 참여해야 하는데, 오늘 잠깐 만나기로 한 후배가 좀 일찍 왔다네. 하늘색 셔츠에 흰색 면바지 입고 있다니까 찾기 쉬울 거야. 아 참! 이름은 알렉스야."

외국인이냐고 걱정하며 물었더니 오빠는 웃으면서 예전 직장이 외국계 기업이라 서로 영어 이름을 사용한 것일 뿐, 한국인이니 절대 긴장하지 말라고 했다. 그러더니 어느새 바람처럼 행사장 안으로 사라져버렸다. 나는 전화도 안 받고 기다려도 오지 않는 수진에게 카톡을 남긴 채 1층으로 내려갔다.

카페 자동문이 열리자 성시경의 '내게 오는 길'이 흘러나온다. 오래전부터 나는 이 노래를 들을 때마다 왠지 좋은 일이 생길 것 같은 설렘이 항상 든다. 기분 좋은 설렘을 안고 하늘색 셔츠를 입은 사람을 찾아보니 카페 안쪽 모퉁이 쪽에 앉아 있는 듬직한 뒷모습의 그가 보인다. 심부름을 마치고 얼른 돌아갈 생각에 가벼운 발걸음으로 그에게 다가가서 말을 건넸다.

"안녕하세요. 혹시 박주원 씨 후배 알렉스 씨 되시나요?"

남자가 고개를 들어 나를 바라보며 미소 짓는 순간, 나는 그 자리에서 얼어 버렸다. 그곳에는 소년의 티를 벗고 세련된 어른으로 변한 내 꿈속의 남자 태현이 앉아 있었다.

"안녕. 지혜야. 오랜만이야. 나 기억해?"

"아! 장태현…"

"많이 놀랐지?"

"어떻게 네가 여기에? …너 해외에 있다고 들었는데…"

"응. 인도네시아에 파견 간 지 몇 년 되었는데, 이번 주에 일이 있어서 잠깐 들어 왔어. 한국 오기 전에 박주원 씨랑 현우에게 네가 나를 찾고 있다는 연락을 받았어. 두 사람이 우리 만남을 서프라이즈로 하고 싶으니 협조해 달라고 해서 얼떨결에 알렉스가 되었네. 하하. 사실 처음 전화로 부탁을 받았을 때 당황하긴 했는데, 나도 널 만나서 꼭 하고 싶은 말이 있어서 이렇게 나왔어."

"나에게 하고 싶은 말?"

"응. 근데 지혜야. 네가 나를 찾은 이유부터 들어도 될까?"

이미 오래전에 사라졌다고 생각한 감정임에도 태현을 보니 입이 바짝 마르고 손이 바들바들 떨리기 시작했다. 마침 나온 아이스 아메리카노를 한입 들이켜 마신 후 간신히 마음을 가다듬고 나는 입을 열었다.

"먼저 20년 만에 갑자기 찾아서 미안해. 주원 오빠랑 현우가 무슨 말을 했는지 모르겠지만 혹시 불쾌한 내용이 있었다면 그것도 내가 사과할게. 내가 이래도 되는 건지 잘 모르겠지만… 오늘은 날 위해 애써준 친구들을 생각하며 너에게 하고 싶었던 말을 할게. 태현아. 사실 나 어릴 적에 오랫동안 널 좋아했어. 졸업식 때 너에게 고백하려고 했는데, 도저히 용기가 나지 않았어. 그때 직접 고백 못 한 것이 살면서 계속 후회되고 아쉬웠어. 그렇다고 지금 너에게 뭘 원하는 것은 아니야. 다만 너로 인해 나의 어린 시절은 매일 행복했고, 그때 내게 행복한 시간을 주어서 고마웠다는 말을 전하고 싶었어."

드디어 20년간 깊숙이 묵혀두었던 고백을 했다. 너무 부끄러워 고개를 숙이고 눈도 못 쳐다보는 내게 태현이 조심스럽게 오래된 분홍색 편지 봉투를 내밀었다. 나는 순간 내 두 눈을 의심했다. 그것은 내가 20년 전에 태현에게 주려고 초콜릿과 함께 준비했던 그 편지였다.

"지혜야. 이 편지 기억나? 너는 몰랐겠지만 사실 난 이미 20년 전에 너에게 직접 고백받았어."

"어떻게… 이 편지가… 네 손에?"

"졸업식 며칠 뒤에 현우가 네 이사 소식과 함께 이 편지를 주더라. 자기에겐 누구보다 소중한 친구니까 아프게 하지 말라면서, 편지 읽고 꼭 답해주라고 네 전화번호도 주었어. 하지만 편지를 읽은 후엔 나도 쑥스러워 바로 전화를 못 하겠더라고. 그리고 곧 고등학교에 적응하느라 정신없이 지내다가 전화번호도 잃어버리고 그만 연락할 타이밍을 놓쳤어. 그때는 네가 현우를 통해 이 편지를 나에게 보낸 줄 알았는데, 그게 아니란 것도 이번에야 알았어. 그때… 전화 못 해서 미안해. 너무 늦었지만 네 고백에 대한 대답 이제라도 해도 될까? 지혜야.

나도 중학교 1학년 때부터 한동안 널 좋아했어. 중학교 입학 날, 네가 입학생 대표 선서하는데 네가 그렇게 당찬 애였나 싶고 멋있더라. 그런데 사실 나 중학교 다닐 때 엄청 내성적이었거든. 너와 접점도 별로 없고, 고백할 자신도 없고. 어쩌면 네가 졸업식 날, 내게 고백했어도 그 당시 내 성격엔 대답도 못 했을 거야. 하지만 나도 늘 너에게 고마웠어. 편지 속의 나를 향한 너의 응원이 고등학교 가서 힘들 때마다 큰 힘이 되었거든. 편지에 행운을 빌어준다고 네잎클로버 코팅해서 넣었던 것은 기억해? 나 그거 한동안 부적처럼 갖고 다녔어. 지혜야. 나는 이젠 너의 애인은 될 수 없어. 하지만 괜찮다면 앞으로 연락하며 친구로 지낼래?"

오랫동안 이어져 온 나의 애절한 사랑과 그리움이 드디어 막을 내리게 되었다. 만약 서로가 함께 좋아했던 그 시절에 내가 용기 내어 고백했더라면 우리는 연인이 되었을까? 하지만 첫사랑은 이루어지는 게 아니라고 했으니까, 최악의 시나리오는 서로 사귀다가 헤어져서 서로 으르렁대는 사이가 되었을 수도 있을 것이다. 그렇게 생각하니 아련한 사랑으로 추억할 수 있는 지금이 더 다행이라고 여겨졌다. 짝사랑 관계를 청산하고 우리는 친구로 남기로 했다. 어쩌면 나를 한때 좋아했다는 태현의 그 말은 거짓말일지도 모른다. 하지만 나는 여기까지 나와 준 그의 친절을 생각하며 그냥 믿기로 했다. 태현은 아내와 3살 된 딸과 함께 인도네시아에서 살고 있다고 했다. 딸 사진을 보여주며 웃는 모습에 행복이 묻어나와 나 역시도 기분이 좋아졌다.

'이젠 정말 안녕! 어린 날의 첫사랑. 나를 잊지 않고 기억해 주어서 정말 고마워!'

우리는 핸드폰 번호를 교환하고 헤어졌다. 수진이 옳았다. 나는 이제 태현의 꿈을 꾸지 않을 것 같다. 아니 꿈을 꾸어도 이제는 아프지 않을 것 같다.

태현과 헤어진 뒤 나는 야외로 나가 벤치에 앉아 한참 동안 생각을 정리한 후 현우에게 전화를 걸었다. 아직 내겐 현우와 풀어야 할 이야기가 남아있다. 어떻게 그 편지가 현우에게 있었던 것일까? 현우는 어디까지 알고 있던 것일까? 신호음이 꽤 오래 가는 데도 현우는 전화를 받지 않았다. 느낌이 왔다. 현우는 지금 나를 피하고 있다. 나와 태현의 만남을 주선해 놓고는 나의 추궁이 두려워 피하고 있다. 이 녀석을 어떻게 하면 좋을까? 하고 고민하고 있는데 드디어 현우가 전화를 받았다.

"여보세요?"

"나야. 지혜… 지난 2주간 연락도 없더니… 이유가 이것이었어?"

"만났니?"

"응. 그런데 현우야. 내 편지가 왜 너에게 있었어?"

내 친구 바보 강지혜

지혜네 집이 오늘 이사 갔다. 어린 시절부터 지혜와 나, 동생들 이렇게 우리 넷은 늘 함께였다. 우리 중 대장은 언제나 지혜였다. 어릴 적 놀다가 위험한 상황이 닥칠 때면 늘 우리를 지켜 낸 것도 지혜였다. 동네 형들이 우리의 구슬과 딱지를 빼앗으려 할 때도 지혜는 우리를 뒤에 숨기고 본인이 앞장서 형들과 싸웠다. 비록 매번 지는 싸움이었지만 지혜는 단 한 번도 쉽게 항복하지 않았다. 지혜의 이마 왼쪽에 있는 작은 상처도 형들과의 싸움에서 생긴 영광의 흔적이었다. 지혜는 내게 친구이면서 늘 누나 같은 존재였다. 그리고 나의 첫 신부였다. 어느 날, 따뜻한 햇볕 아래 앉아 놀고 있었는데, 갑자기 지혜가 결혼식을 하자고 했다. 어디서 본 것은 있어서, 토끼풀꽃으로 반지를 만들고 내 손가락과 본인 손가락에 하나씩 끼우더니, 딴딴따따 하고 노래를 부르기 시작했다. 그러더니 '신랑 강지혜는 신부 최현우를 맞이하여 평생 아끼고 지킬 것을 맹세합니다' 라며 지혜가 외치는 것이었다.

"아닌데, TV에서는 남자가 신랑이었어. 그러니까 내가 신랑이야! 내가 너를 지킬 거야."

"알았어. 근데 너 진짜 나 지킬 수 있어? 내가 너보다 키도 크고 힘도 세서, 동네 오빠들한테서 매일 너를 지키니까 내가 신랑 아냐? 하지만 그렇게 원하면 오늘만 현우 네가 신랑해!"

지혜는 그렇게 말하며 해맑게 웃었다. 아마 그때부터였을 것이다. 내가 지혜처럼 강해져서 나도 지혜를 지키는 사람이 되겠다고 다짐하게 된 순간이. 유치원과 학교에 다니면서 더 많은 친구가 생겼지만, 여전히 집에 오면 우리는 해가 산 밑으로 몸을 숨겨 세상이 차츰 어두워지고 서로의 부모님이 우리 귀를 잡아 각자의 집으로 끌고 들어갈 때까지 함께했다.

그런 지혜가 10살 되던 어느 날부터 학교에서는 나에게 말을 걸지 않고, 집에 같이 가자고 해도 혼자 가라고 보냈다. 집에 와서도 더는 밖에서 예전처럼 뛰어놀려 하지 않았다. 그래도 여전히 우리는 서로의 집을 자기 집처럼 드나들었고, 지혜도 집에서는 변함없이 나에게 예전처럼 굴었다. 나는 그런 지혜가 이해가 안 되어서 엄마에게 지혜가 조금 이상해졌다고 했더니, 엄마는 아마도 지혜가 여자가 되고 있기 때문인 것 같다고 했다. 여자가 된다고? 원래 지혜는 여자이고 나는 남자인데 그게 무슨 소리지? 도저히 이해할 수 없었지만, 어린 그때는 그냥 받아들이는 수밖에는 없었다.

중학생 때는 남녀 학급으로 나뉘어 3년을 지내다 보니 함께 하는 시간이 더 줄어들었다. 지혜는 공부를 제법 잘했다. 나는 그런 지혜가 내 소꿉친구라는 것이 항상 자랑스러웠다. 어느 날 교실에서 혼자 자습하던 지혜가 나와 태현이 농구 하는 모습을 물끄러미 보고 있는 것을 발견한 적도 있었다. '강지혜 성격에 계속 공부만 할 테니 힘도 들겠지. 나와서 함께 놀자고 불러볼까? 아니야! 공부하는 애 괜히 방해하면 안 되지!' 그렇게 나는 지혜를 존중했고 응원했다.

중학교 3학년 첫눈이 내리던 날 밤, 내겐 언제나 철의 여인 같던 지혜가 자기 집 문 앞에 쭈그리고 앉아서 서럽게 울고 있는 모습을 처음

보았다. 왜 그러냐고 다가가 묻고 싶었지만, 왠지 다가설 수 없었다. 멀리서 우는 모습을 한동안 지켜보다가 지혜가 집에 들어가는 것까지 보고 나서야 나도 집으로 들어왔다. 그리고 엄마에게 혹시 지혜네 집에 무슨 일 있냐고 물었더니, 지혜 아버지가 다니는 회사가 P 시로 이전하게 되면서 가족들도 함께 이사 가게 되었다고 했다. 아! 그랬구나. 그래서 그렇게 서럽게 울고 있었구나. 아닌데. 강지혜 성격에 그런 일로 저렇게 속상해서 울 애가 아닌데. 혹시 나랑 헤어져서 슬픈 건가? 나는 정말 엊저녁에 내가 이 편지를 발견하기 전까지도 지혜가 나 때문에 울었다고 생각했다.

어제 지혜네 가족이 이사 가기 전 마지막 인사를 하고 싶다며 우리 가족을 초대해 함께 저녁 식사를 했다. 식사 후 우리 넷은 거실에서 과자 파티를 하며 우리만의 마지막 모임을 했다. 지혜가 여름방학 하면 동생과 함께 놀러 올 테니 너무 서운해하지 말고 꼭 기다리라고 했고, 우리는 당장의 헤어짐을 슬퍼하기보다는 여름을 어떻게 즐겁게 보낼 것인가를 의논하며 한참을 떠들었다. 이야기가 끝날 즈음에 나는 화장실 가는 척하고 미리 준비한 선물을 지혜 방에 두려고 몰래 들어갔다. 방은 이미 정리가 거의 다 끝나있었다. 내일부터는 여기 와도 지혜가 없다고 생각하니 기분이 이상했다. 책상 위에 선물을 두고 나가려고 하는데, 아직 테이프를 붙이지 않은 상자 하나가 눈에 띄었다. 살짝 열어보니 초등학교 6학년 때 만들었던 학급 문집이 보였다. 어! 이거 오랜만이네. 4쪽을 펴니 내가 쓴 동시가 있다. '제목: 고추잠자리' 다시 읽어보아도 엉망이다. 집에 가면 내 문집은 아무도 못 보게 꼭 숨겨

두어야지 하고 생각하며 몇 장을 더 넘겼는데, 갑자기 분홍색 편지가 나왔다. 봉투 겉에는 '태현에게'라는 지혜의 글씨가 새겨져 있었다. 이게 뭐지? 하고 있는데, 지혜가 방으로 들어왔다.

"야! 주인 없는 방에서 뭐 하냐?"

순간 나도 모르게 그 편지를 내 바지 주머니에 넣어 버렸다. 그리고 "저기 선물~" 하고 지혜의 시선을 돌린 후, 방에서 빠져나왔다. 집으로 돌아오기 전에 몇 번이고 편지를 다시 제자리에 놓아두려 했지만, 방에 들어갈 기회가 전혀 생기지 않았다. 다음 날 이삿짐 트럭이 마을을 떠나는 순간까지 나는 결국 편지를 돌려주지 못했다. 어쩌면 나는 처음부터 돌려주기 싫었는지도 모르겠다. 편지에 '태현'이라고 적힌 글자를 본 순간부터 나는 이상한 감정에 휩싸여 내 손에서 그것을 떠나보내기가 싫었다.

그리고 나는 지금 막, 지혜가 쓴 그 편지를 읽었다. 편지를 다 읽고 나니 어이가 없다. 7년이나 태현을 좋아했다고? 그럼 혹시 그날 집 앞에서 울었던 것도 내가 아닌 태현과 헤어져서? 나는 속상하다는 말이 부족할 정도로 화가 나기 시작했다. 나는 맹세코 단 한 번도 지혜를 여자로 좋아한 적은 없다. 우리는 너무 형제 같은 사이였으니까. 다만 지금 화가 나는 이유는 내가 어느 순간부터 지혜에게 2순위였다는 사실 때문이다. 그리고 지혜가 나에게 지난 7년 동안 아무것도 말하지 않았다는 것이다. 강지혜답지 않게, 바보처럼 주지도 못할 이런 편지나 쓰면서 혼자 고민했다는 사실을 인정하고 싶지 않았다. 지혜에게 내일 전화해서 편지를 내가 갖고 있다고 사실대로 고백할까? 아니다! 그러면 지혜는 나를 죽일 수도 있다. 그럼 이 상황에서 난 무엇을 해야 할까? 그래. 나는 지혜를 지키는 사람이었지. 지혜도 나한테 이걸 숨길 때는 마냥 속이 편하지는 않았을 거야. 내가 태현에게 밀린 것은 친구가 아니라 남자로서였다고 생각하자. 나도 사실 한때 다희를 좋아했던 사실을 지혜에게 말하지 않았으니까 그냥 비겼다고 치자. 바보 강지혜! 그래 이번엔 내가 네 사랑을 도와주겠어! 나중에 혼나더라도 이 편지를 태현에게 전해주자. 나는 결심이 끝나자마자 태현에게 만나자고 전화를 걸었다.

소꿉친구를 다시 찾은 날

현우는 자신이 편지를 갖게 된 이유와 태현에게 전해 준 사정까지 자세하게 말했다. 그리고 마음대로 편지를 전해서 미안하다고 했다. 그때는 그것이 자신이 할 수 있는 최고의 선택이라고 믿었다고 한다. 현우는 태현이 편지를 읽은 후에 당연히 내게 전화한 줄 알았다고 했다. 그런데 그 이후에 두 사람 모두 아무 말이 없길래, 안 좋은 결론이었구나라고 생각해 그냥 모르는 척했다고 한다. 그리고 이 일은 나와 현우, 태현 이렇게 세 명만이 아는 비밀로 영원히 묻어두려고 했다고 한다. 그런데 동창회에서 다희의 어이없는 실언으로 친구들에게 그 사실이 알려지고, 이후 태현이 사실은 내게 전화를 못 했다고 자신에게 말한 순간 큰일이 일어났음을 직감했단다. 내가 고향에서 일어난

이 모든 상황을 알게 되었고, 그 이후 친구들의 전화를 안 받기 시작했다는 소문이 돌았을 때, 자존심 강한 지혜라면 충분히 가능한 일이라고 생각했다고 한다. 하지만 자신에게까지 연락을 끊어버리자 너무 서운해서 한동안 많이 원망했다고 했다.

　나도 현우에게 사과했다. 현우가 동창회에서 화를 냈다는 말을 듣고 너무 속상했었다고. 너라면 어떤 상황에서도 나를 이해해줄 거라 믿었는데, 네가 나에게 화를 냈다고 하니 사실 배신감까지 들었다고. 그런데 전후 사정을 알고 보니 내가 그날 친구들의 이야깃거리로 전락하는 것을 막기 위한 행동이었음을 이제야 깨달았다고 사과했다. 그리고 그런 오해로 연락 끊었던 어리석은 나를 용서해달라고 했다.

　현우는 오랫동안 내 연락과 나의 고향 방문을 기다렸다고 했다. 그리고 결국 나와의 연락은 끊겼지만, 동생을 통해서 나에 대한 소식은 간간이 전해 듣고 있었다고 했다. 내가 내 동생을 통해 현우 소식을 전해 들었듯 말이다. 내가 교사가 된 것, 첫 남자친구를 만난 것, 얼마 전 아빠가 돌아가신 것 등등 현우는 이미 중요한 사건은 모두 알고 있었다. 그리고 자신이 해외 장기출장 중 뒤늦게 소식을 들어서 장례식장에 갈 수 없었다며 함께 해 주지 못해 미안했다고 말했다. 그 소식을 듣던 날 내가 눈을 맞으며 서럽게 울던 모습이 자꾸 떠올라서 당장이라도 나에게 달려오고 싶었다고 했다. 너 설마 내 스토커냐? 나는 웃으며 이렇게 말했지만, 지난 20년간 한결같은 마음으로 나를 기다려 준 현우에게 너무 감동했다.

　그리고 나는 어떻게 오늘 나와 태현을 만나게 해 줄 생각을 했는지 물었다. 그날 식당을 나와 걷고 있었는데, 주원 오빠가 급히 뛰어와 현우를 잡으며, 지혜에게 전화하기 전에 꼭 자기에게 먼저 연락을 달라며 명함을 주었단다. 그래서 둘이 통화를 하게 되었는데 내가 고향 친구들을 많이 그리워하고 있고, 태현도 꼭 만나 해결할 문제가 있는데 도와줄 수 있겠냐고 했다는 것이다. 현우는 그런 주원 오빠를 보며 20년 전 태현에게 편지를 전해주던 자기 모습이 떠올랐다고 했다. 그때 자기는 실패했지만, 이번에는 꼭 도움이 되었으면 좋겠다는 생각에 주원 오빠, 수진과 함께 며칠 동안 계획을 세우고, 태현에게도 연락을 했다는 것이다. 그렇게 나를 위해 발 벗고 움직이는 주원 오빠와 수진을 보면서 지혜는 참 좋은 친구를 만났구나 싶어 안도하면서도 아쉬웠다고 한다. 한편으로는 자기 자리를 빼앗긴 것 같아서 살짝 질투도 났다고 했다. 그러면서 현우가 조심스럽게 나에게 물었다.

"지혜야. 나에게 너는 친구이자, 형제이자, 첫 신부였어. 너에게 나는 어떤 존재니?"

갑작스러운 질문에 살짝 당황했지만, 나는 망설임 없이 바로 대답했다.

"너는 내게 첫 친구이자, 의형제이자, 첫 신랑이었지. 그리고 앞으로도 영원히 이어질 소중한 친구야. 하지만 진짜 결혼은 각자 다른 사람하고 하는 걸로. 하하하."

나는 잃었던 친구를 그렇게 다시 찾았다. 어리석었던 나는 현우의 손을 놓아 버렸지만, 지난 20년간 현우가 내 옷소매를 잡고 있을 줄은 꿈에도 몰랐다. 현우는 전화를 끊고 바로 카톡을 보냈다. 카톡을 보자마자 웃음이 나왔다. 현우는 진짜 멋있는 녀석이었다. 내가 사랑에 눈이 멀어 이 녀석을 놓쳐버렸었다니. 강지혜. 너는 진짜 바보였구나! 하하하. 현우가 보낸 메시지에는 이렇게 적혀있었다.

"김설아(010-△△△-▲▲▲▲), 임다희(010-☆☆☆-★★★★). 네 연락 애타게 기다리고 있다. 꼭 전화해라!"

새로운 출발!

벌써 16시가 되어간다. 나는 단톡방에 '이제 집에 가자'라고 카톡을 보냈다. 기다렸다는 듯 바로 '10분 뒤 주차장!' 하고 수진에게 답문이 왔다. 주차장에서 만난 수진은 호기심 가득한 눈으로 태현을 잘 만났냐고 물어온다. 나는 순간 심술이 나서 장난이 치고 싶어졌다. '두 사람, 날 속였겠다. 호기심 대마왕들에게 묵언만큼 큰 벌은 없지!' 나는 둘을 의미심장하게 한번 쳐다보고 한숨을 쉰 뒤 아무 말 없이 차에 탔다. 두 사람은 내 눈치를 살피느라 난리가 났다. 차에는 한동안 적막만이 흘렀다. 도저히 그 상황을 버틸 수 없었는지 수진이 라디오를 틀었다. 라디오에서는 마침 어떤 청취자의 사연 소개가 한참 중이었다.

"친구가 OO님이 좋아하는 가수의 콘서트에 가자고 돈까지 받아 가 예매했는데, 당일에 가보니 다른 가수의 콘서트였대요. 콘서트는 좋았지만, 자신을 속인 친구가 너무 얄미운데 어떻게 하면 좋을까요?"

둘은 당황한 얼굴로 서로를 쳐다보더니 재빠르게 라디오를 껐다. 나는 소리 없이 웃었다. 진짜 기막힌 타이밍의 사연이었어! 더 애매해지기 전에 이젠 나도 그만할까? 나는 화난 척 두 사람에게 말했다.

"그렇지. 아무리 결과가 좋아도 친구한테 속으면 정말 화나지. 이 시점에서 두 사람은 뭐 할 말 없어?"

"지혜야. 오빠가 무조건 잘못했어. 태현 씨 만나러 가자고 하면 네가 도망갈까 봐 어쩔 수 없이 그런 거야."

"그것 말고는 또 없어요?"

"강찌. 현우 씨 때문에 그래? 그것도 정말 미안~. 네 고향 친구들에게는 비밀이었는데… 용서해주라~"

"그러게. 어떻게 나 몰래 현우랑 셋이 손잡고 감쪽같이 나를 속이냐고?"

"그게… 지혜야. 현우 씨를 본 순간, 이 사람만이 우리의 동아줄이라는 깨달음이 와서…"

"두 사람 진짜 너무 실망이야! 내가 미리 알았으면 완벽히 예쁘게 세팅하고 첫사랑을 만났을 텐데, 난 그 기회를 놓쳐버렸어. 그래서 정의의 이름으로 두 사람을 용서할 수 없어. 하지만 굳이 용서받고 싶으면, 수진이 넌 명품 립스틱 사 오고, 오빠는 커피 10잔 쏴요!"

"와~ 강지혜. 최고다! 알고 보면 한수진보다 더 뻔뻔해! 둘이 괜히 친구가 아니었어. O.K.! 오빠가 커피 10잔 묻고 네가 그렇게 좋아하는 핫초코 10잔까지 더블로 쏜다."

내가 핫초코는 인제 그만! 하면서 두 팔로 X 표시를 하자 둘은 깔깔

대며 웃기 시작했다. 그리고 나도 한참을 웃었다.

"강찌. 그래서 태현 씨 하고는 어땠어? 여전히 멋있었어?"

나는 두 사람에게 태현과 현우와 있었던 이야기를 자세하게 전했다. 수진은 그런 멋진 소꿉친구와 젠틀한 첫사랑이 있었다니 정말 감동이라며, 태현이 이미 결혼해서 아쉽기는 하지만 이번에 현우와 공조를 해보니 현우야말로 상남자라며 소꿉친구 말고 애인으로는 어떠냐고 물었다. 나는 수진에게 한 번만 더 이상한 소리 하면 진짜 용서하지 않을 테니 제발 현우와는 맘대로 엮지 말라고 부탁을 했다. 그리고 쑥스럽지만 두 사람에게 진심을 담아 내 마음을 전했다.

"둘에게 사실 정말 고마워. 처음에 나는 이 프로젝트가 정말 바보 같은 짓이라고 생각했어. 그래서 그냥 두 사람에게 맞장구나 쳐주자는 자포자기의 심정으로 참여했었지. 나는 어린 시절만 생각하면 마음 아팠던 일만 떠올라서 애써 지우려고만 했거든. 아마도 내 상처받은 기억을 치료하기보다는 회피하는 게 정답이라고 생각했던 것 같아. 그런데 이런 나를 포기하지 않고, 내 상처를 있는 그대로 이해해주고, 함께 고향에 가서 내 이야기에 귀 기울여주는 두 사람을 보면서 그 과정만으로도 치유 받았어. 그리고 짝사랑과 잃었던 소중한 친구들까지 찾게 해 주어서 정말 고마워. 나도 앞으로 두 사람한테 더욱 잘할게. 그리고 앞으로 내가 할 일이 있으면 적극적으로 따를게!"

내 이야기를 들은 주원 오빠는 나를 향해 손 하트를 날리고, 수진은 감동한 목소리로 말했다.

"사랑해. 강찌! 우리에게도 너는 언제나 힐링이 되는 친구야. 우리 앞으로 함께 더 행복해지자! 그런데… 네가 적극적으로 하겠다니까 말인데… 그럼 이제 슬슬 우리 두 번째 프로젝트도 시작해볼까?"

"뭐야? 두 번째도 있어?"

"응. 이번 작전명은 '박·여·기 프로젝트'야. 일명 박주원 여자친구 찾아오기 프로젝트."

끼익~ 주원 오빠가 갑자기 급브레이크를 밟으며, "한수진 너 미쳤냐?"고 소리를 질렀다. 하지만 수진은 아랑곳하지 않고 이야기를 시작했다.

"강찌. 너 주원 오빠가 왜 P 시로 혼자 내려왔는지 모르지? 사실 결혼 약속한 사람이 있었는데, 일본인이라고 이모가 너무 반대해서 결국 헤어졌어. 그 후에 오빠가 열받아서 비혼 선언하고 이모 떠나서 고향으로 내려온 거잖아. 근데 이모가 드디어 손을 드셨다! 이젠 누구랑 해도 상관없대. 하하하. 근데 그분이 얼마 전까지 한국에 있다가 일본으로 돌아갔거든. 오빠는 여전히 좋아하면서도 미안해서 연락도 못하고 있고. 그래서 말인데, 우리 주원 오빠 여자친구 찾으러 일본 가자! 어때?"

"완전 콜! 나 곧 방학이니까 서서히 준비해서 일본 가자! 나 일본어 좀 하잖아. 간바떼(がんばって)!"

주원 오빠는 포기했다는 듯 머리를 절레절레 흔들고, 나와 수진은 새로운 프로젝트의 성공을 꿈꾸며 차에서 흘러나오는 김동률의 '출발'을 크게 부르기 시작했다.

'새로운 풍경에 가슴이 뛰고 별것 아닌 일에도 호들갑을 떨면서 나는 걸어가네. 휘파람 불며 때로는 넘어져도 내 길을 걸어가네~ ♪'

인생은 정말 한 치 앞도 모르는 모험의 연속이다. 그 모험이 두렵기도 하고 때론 실수하며 넘어지기도 하지만, 그 길을 이렇게 함께해주는 친구가 있다는 것만으로도 성공이라고 생각한다. 나는 오늘도 사랑하는 친구들과 함께 새로운 모험을 향해 출발한다.

저택

즈비

즈비   생각이 많습니다. 그래서인지 꿈도 많이 꿉니다.

머릿속을 떠도는 이야기들의 연결고리를 찾아 글과 그림의 형태로 풀
어내는 것을 좋아합니다.

인스타그램: @loz8ox

소현

"야, 너 내가 전화하면 세 번 울리기 전에 받아."

책상에 걸터앉은 채정의 다리가 앞뒤로 흔들린다. 초록색과 흰색이 섞인 운동화가 가까워졌다 멀어지기를 반복한다. 채정이 초록색을 좋아했던가?

이건 내가 잘하는 거다. 명때리면서 상황이 그저 흘러가기를 기다리는 것. 벗어나고 싶은 이 상황이 어느새 해결되어 있기를 바라는 것. 하지만 채정은 명하니 제 다리만 쳐다보는 내가 마음에 들지 않았나 보다.

"사람이 말을 하면 대꾸를 좀 하지?"

날 선 목소리에 몸이 절로 반응해 움츠러들었다.

나도 대답을 하고 싶었다. 고개를 들어 눈을 마주치고, 도대체 나에게 왜 이러는 것이냐고 묻고 싶었다. 하지만 내 입은 녹은 젤리 마냥 딱 달라붙어 떨어질 생각을 하지 않았다. 고개를 들지 않았지만 볼 수 있었다. 채정은 못마땅한 얼굴로 나를 내려다보고 있을 것이고 그녀의 친구들은 즐거운 표정으로 킥킥거리고 있을 터였다. 의자에 앉아 있는 몸이, 입고 있는 옷이 물에 젖은 것처럼 무겁게 느껴졌다. 고개도 무게를 버티기 힘든 듯 점점 내려갔다.

잠시 후 초록색의 예쁜 운동화가 바닥에 내려앉았다. 나머지 운동화들이 예쁜 초록 운동화를 둘러싸고 떠들썩한 소리와 함께 교실을 빠져나갔다. 내 몸은 그제야 가벼워졌다.

교실 문을 벗어나는 무리 틈에 익숙한 뒷모습도 보였다. 얼마 전까지 단짝 친구였던 나윤이 채정에게 팔짱을 끼며 아양을 부리고 있었다. 작게 헛웃음을 내뱉으며 멀어져 가는 그들을 멍하니 쳐다봤다. 그리고 어디서부터 잘못된 것인가를 생각했다. 답은 없었다.

책상 위로 가정통신문 한 장이 보였다. '어느새 낙엽이 지고 선선한 바람이 불어오는 가을입니다…' 진부한 인사말로 시작하는 이 통신문은 꼬랑지에 기다란 숫자 하나를 달고 있다. 수학여행 참가 신청서. 언제까지 참가비를 납부하라는 통지서이다. 얇은 회색 종이 위 쓰여있는 글자들이 숨을 턱턱 조인다.

'버스에선 누구랑 앉아야 하지?'

이틀 전까지만 해도 나윤과 수학여행을 가서 맞춰 입을 옷에 대해 심오한 토론을 하느라 쉬는 시간을 모두 날렸다. 그런데 지금은 이게 무슨 상황인가. 엄마에게 수학여행을 가지 않겠다고 할까, 이유를 묻는 엄마에게는 뭐라고 대답해야 할까. 따돌림을 당하고 있다고 솔직하게 말하면 과연 이 상황이 해결될까?

답이 없는 상황에 머리가 더욱 복잡해져 가정통신문을 바닥으로 거칠게 밀어냈다. 하지만 가정통신문은 그런 나를 놀리듯 나풀거리며 사뿐히 바닥에 내려앉았다. 종이 한 장도 내 뜻대로 되지 않았다.

지이잉…지이잉…

갑자기 들린 큰 소리에 화들짝 놀라 책상 서랍 속에 들어있던 핸드폰을 들어 올렸다.

'채정'

화면에 뜬 이름을 보는 순간 채정이 한 말이 머릿속에 울렸다. 허겁지겁 통화 버튼을 누르려던 순간 전화가 끊겼다. 급히 움직이던 손가락들이 제 할 일을 잃은 듯 순식간에 멈췄다.

그 순간 꺼졌던 화면이 다시 밝아지며 짧은 진동이 울렸다. 채정의 문자 메시지였다. 손가락들은 그제야 할 일을 찾은 듯 다시 움직이기 시작했다.

세 번 울렸어. 기회는 끝이야.

핸드폰 진동이 감기라도 되는 것처럼 손가락들에도 진동이 옮았다. 너무나 간단하게 끝나버린 두 마디에 그냥 책상에 얼굴을 파묻어버렸다. 눈을 감았다 뜨면 모든 것이 원래대로 돌아가 있기를 빌었다.

한참 후에 눈을 떴지만 역시 모든 것이 그대로였다.

숨 막히게 조용한 교실, 바닥에 나뒹구는 가정통신문.

매끈했던 칠판이 희끄무레한 얼룩으로 흐릿해진 것만 빼면 모든 것이 똑같았다.

저택

오늘도 역시 이상한 저택에서 눈을 떴다.

어느새 이 저택에는 '내 방'이라는 것이 생겼다. 기억을 잃은 낯선 이에게 기꺼이 방을 내준 것이 아무래도 의심스러웠지만 내가 어떤 사람인지, 어디에서 온 것인지 아무것도 기억나지 않는 상태에서 함부로 돌아다니는 것은 위험하다고 판단했기에 뭐라도 나에 대한 기억을 찾아내기 전까지는 이 수상한 저택에서 머무르기로 했다.

의지할 사람이 하나도 없는 상황이 무서웠다. 이렇게 보면 나는 독립적인 사람은 아니었던 것 같다.

나는 **윤채정**, 그리고 말했다시피 여기는 저택이다. 내가 어쩌다 이곳에 오게 됐는지는 모르겠다. 눈을 뜨고 보니 이상한 저택의 한가운데에 누워 있었고 몇몇 사람들이 멀찍이서 그런 나를 내려다보고 있었다.

모든 것이 불확실한 그 상황 속에서 두 가지만은 확실했다. 나를 내려다보는 그들의 눈빛에서 느낄 수 있었다.

1. 이곳은 내가 원래 살던 곳이 아니다.
2. 이곳 사람들은 모두 나를 싫어한다.

오늘은 꿈을 꾸었다. 내가 꾼 것이 꿈인지 아닌지는 잘 모르겠다. 아니, 지금 상황 자체가 꿈일지도 모른다. 그럼 나는 꿈속의 꿈을 꾸고 있는 건가?

혼란스러운 마음에 그대로 침대에 누워 방금 꾼 꿈에 대해 생각했다. 꿈에서 본 앳된 얼굴은, 싸늘한 눈빛으로 친구를 내려다보던 얼굴은 낯설지만 분명 **나의 것**이었다.

그리고 불안한 눈으로 나를 올려다보던 짙은 쌍꺼풀의 큰 눈, 빨간 안경테.

얼룩얼룩 눈물 자국들이 말라 굳어있던 빨간 안경테.

순간적으로 머릿속에 누군가의 얼굴이 스쳐 갔다. 저택 한가운데 누워있던 나를 내려다보던 어린 얼굴 하나. 그 모순되게도 잔잔한 얼굴의 주인공 역시도 짙은 쌍꺼풀에 빨간 안경을 쓰고 있었다.

"소현이…"

방금 깨어난 탓에 목소리는 아직 잠겨있다. 내가 꾼 것이 단순한 꿈이 아니라 나의 과거라면 나는 그녀를 원망할 자격이 없었다.

'똑똑'

갑작스러운 소음에 몸이 먼저 반응했다. 깜짝 놀라 덮고 있던 이불 속으로 몸을 더 움츠렸지만 이내 어제 저택의 사람들이 했던 말이 기억나 몸을 벌떡 일으켰다. 짧은 대답을 하고 문을 열려고 하는데 문이 먼저 벌컥 열렸다. 탐탁지 않은 표정을 한 남자가 문 앞에 서 있다.

파워에이드로 염색한 듯 선명한 푸른빛의 머리, 태훈이다. 방 안으로 들어오지 않고 꼿꼿이 문 앞에 서 있는 그는 마치 아이돌이라도 되는 것처럼 뛰어난 외모를 가지고 있었다.

"시간 맞춰 내려와서 밥 먹는 것도 못 하냐? 도대체 네가 하는 일이 뭐 있다고 늦잠을 자?"

아름다운 그의 입에서 나온 말은 결코 아름답지 않았다. 그의 입에서 나온 말은 항상 화살촉을 달고 나에게 향했다. 반박할 수도 없는 사실에 너무 민망해 작은 목소리로 죄송하다고 웅얼거리곤 고개를 숙였다. 고개를 들어 그와 눈을 마주할 자신이 없었다. 나를 싸늘한 눈초리로 내려다보고 있을 그가 무서웠다. 그래서 그냥 바닥만 보며 욕실로 갔다. 뒤에서 쯧 하고 혀를 차는 소리가 들렸다. 혀끝에서 또 하나의 화살이 날아와 박혔다.

조금 뒤 방문이 닫히는 소리가 들리고 그제야 나는 옅은 숨을 뱉어 냈다. 숨을 내뱉음과 동시에 몸에 박힌 화살들이 몸 안으로 녹아 들어왔다. 욕실에 들어와 찬물로 세수했다. 꿈인지 과거인지 모를 그 장면들을 물과 함께 씻어 내리고 싶었다.

방에서 나오자 넓은 저택의 모습이 한눈에 보인다. 저택은 2층짜리 낡은 나무 건물인데, 바닥은 내가 한번 발을 내디딜 때마다 끼익 끼익 소리를 냈다. 2층에는 총 다섯 개의 방이 있었는데 내가 닫고 나온 방이 그중 하나였다. 내 방의 양옆은 비어 있었으며 나머지 두 개의 방을 소현과 다빈이 쓰고 있었다. 저택의 유일한 성인 남성인 태훈은 1층 방을 쓰고 있었고, 1층에는 그 밖에도 공용 거실과 주방 등이 있었다.

그리고 마지막 한 공간이 더 있었다.

'금지된 방'

이 저택 사람들은 그 방을 그렇게 불렀다. 웬만해서는 나의 곁에 오지 않는 세 사람인데 내가 그 방 앞을 지날 때면 이상하게 쏜살같이 달려와 나를 감시했다.

"부르러 간 지가 언젠데 이제서야 내려오네."

낮은 태훈의 목소리에 녹아내렸던 화살이 되살아난다. 반사적으로 몸이 움찔거렸다. 놀란 내가 걸음을 멈추자 나를 향한 답답한 눈초리가 날아온다. 고개가 점점 무거워졌다.

"그만해, 태훈"

따가운 눈길을 끊어내고 차분한 음성이 들려왔다.

소현이다. 초등학생 정도 되어 보이는 소녀의 입에서 나왔다고는 믿을 수 없을 정도로 성숙한 목소리였다. 소현의 말을 들은 태훈은 이 상황이 마음에 들지 않는다는 듯 쿵쿵거리며 밖으로 나갔다.

처음 이 저택에서 눈을 떴을 때는 이 이상한 분위기에 적응하지 못했다. 누가 봐도 제일 어려 보이는 소현은 저택에서 일어나는 모든 일을 관리했다. 그리고 나머지 두 사람은 모두 아무 불만 없이 그런 소현을 따랐다. 마치 그녀가 이 저택의 주인이라도 되는 것처럼.

세 사람 간의 대화도 신기했다. 그들은 서로를 이름으로 불렀다. 가장 나이가 많은 태훈에게도 예외는 없었다.

나는 눈치를 보다가 조그만 목소리로 소현에게 고마움을 전했다.

"너 도와준 거 아니야."

소현의 차분한 말은 태훈의 따끔한 말보다 나를 더욱 작아지게 했다. 나는 사라지는 소현의 뒷모습을 그저 바라만 보다가 터덜터덜 걸음을 옮겼다. 아침에 꾼 꿈의 내용 때문에 마음이 더 뒤숭숭하다.

이곳은 대체 어디이고 나는 왜 이곳에 있는 것일까?

복잡한 생각을 안고 계단을 내려가자 넓은 로비가 보인다. 그리고 로비에는 불안한 발걸음으로 요리조리 돌아다니는 다빈이 보인다. 교복 치마 아래로 받쳐 입은 파란색 체육복이 분주히 움직인다. 이제는 익숙해진 광경에 그런 그녀를 그대로 지나쳐 현관으로 걸음을 옮기는 중이었다.

"가는 거야?"

뒤에서 들려오는 목소리에 고개를 돌리니 불안한 표정의 다빈이 서 있었다. 혹시나 했는데 오늘도 역시나였다.

"바람 좀 쐬고 싶어서… 무슨 할 말 있어?"

"아니, 그냥… 잘 갔다 오라고"

무리 중 가장 나이가 많은 태훈은 나를 향한 적대심을 숨기지 않고 드러냈다. 반면 가장 어린 소현은 어찌 보면 평안한 얼굴로 나를 대했다. 물론 그 시린 시선만큼은 숨길 수 없었지만 말이다. 너무 차가우면 오히려 뜨겁게 느껴지지 않던가. 소현의 시선은 차갑고도 뜨거웠다.

그런 그들과 달리 다빈의 태도는 일관적이지 않았다. 평소 다빈은 다른 이들에 비해 나에게 큰 관심을 보이지 않았다. 그런 그녀가 이상해지는 시간이 있었는데, 그때가 바로 지금과 같은 순간이다. 매일 아침 내가 혼자 산책하러 나가는 시간.

어떤 이유에서인지 저택 밖으로 절대 나가지 않는 이들을 뒤로하고 저택의 문을 열고 나설 때면 왠지 모를 해방감이 느껴졌다. 그 자유로움을 만끽하기 위해 매일 아침 나는 산책을 나섰다.

그리고 다빈은 그런 나를 기다렸다. 처음에는 착각인가 했지만, 아니었다. 내가 문밖으로 나설 때면 그녀는 불안한 표정을 하고 로비를 서성였다. 내가 산책을 끝내고 저택으로 돌아가면 가장 먼저 보이는 것도 그녀의 얼굴이었다. 그리고 항상 같은 것을 물었다. 밖에서 누구를 만나지 못 했냐고.

그러고 보면 이상했다. 그리 짧은 시간도 아닌데 지금까지 산책하면서 마주친 사람이 없었다. 집집마다 나오는 굴뚝의 연기며, 시장 가판대에 놓인 과일들이며, 잘 다듬어진 길거리의 나무들을 보면 마을 사람들이 살고 있는 것은 분명한데 지금껏 아무도 만나지 못했다. 그런 사실이 어찌 보면 무서울 만했지만, 이상하게도 마을에 나가면 마음이 편안해졌다.

다빈은 내가 돌아오지 않을까 봐 걱정하는 것일까, 아니면 내가 밖에 나가서 누구를 만나는 것을 두려워하는 것일까?

답이 나오지 않는 문제를 뒤로 하고 저택을 나섰다. 오늘도 문 앞에는 누군가가 미리 장 봐둔 식자재들이 놓여있었다. 저택의 이들은 직접 장을 보는 대신에 정기적으로 배송을 시키는 모양이었다. 식자재들을 안으로 들여놓고 문을 닫았다.

문 닫히는 소리와 동시에 한숨을 뱉었다. 문 하나 차이지만 밖으로 나오니 조금 숨이 트이는 듯했다. 크게 심호흡을 한 번 하고 발길을 옮겼다.

다빈

"채정! 나 체육복 좀 빌려주라. 빨아 놓고 까먹고 집에 두고 옴"

다빈이는 항상 교복 치마 아래 체육복 바지를 받쳐 입었다. 다리가 훵한 걸 보니 오늘은 어쩐 일인지 체육복을 두고 온 듯했다. 가방을 뒤적여 네모나게 접힌 체육복 바지를 꺼내 들었다. 다빈은 활짝 웃으며 바지를 건네받았다. 나는 활짝 웃을 때 길게 접히며 사라지는 다빈의 눈과 입술 사이로 살짝살짝 보이는 다빈의 덧니를 좋아했다.

초등학교 때 친했던 친구들이 있었다. 우리는 7공주라고 불리며 몰려다녔다. 함께 수학여행 장기 자랑도 준비하고, 하교 후에는 근처 놀이터에 모여 경찰과 도둑 놀이를 했다. 점심시간에는 몰래 학교를 나가 만화방에 가서 순정 만화를 빌려 왔고, 수업 시간 중에는 그 만화책을 돌려 읽으며 낄낄거렸다.

그런데 언젠가부터 그중 한 명이 눈에 거슬리기 시작했다. 소현이었다. 말도 어눌하고 자기주장도 없고 그저 헤헤거리는 모습이 바보 같았다. 그래서 그녀를 따돌렸다. 내 말에 무조건 공감해 주고 따르는 친구들에게 둘러싸여 마치 여왕이 된 것처럼 우월감을 즐겼다.

그날도 여느 때와 다름없이 학교에 갔다. 하지만 무언가 이상했다. 평소라면 먼저 교실에 와서 깔깔거리고 있어야 하는 친구들이 보이지 않았다. 혼자 자리에 앉아 수업 준비를 하고 있는데 수업 종이 울리기 1분 전 친구들이 시끌벅적하게 들어왔다. 친구들에게 다가가려고 했으나 담임선생님이 문을 열고 들어왔다.

쉬는 시간이 되었고, 나는 친구들에게 다가갔다. 하지만 친구들은 나를 본 체도 하지 않았다. 내가 알지 못하는 이야기만 서로 나누며 깔깔거리다가 내가 한 마디라도 거들 때면 약속이라도 한 듯이 조용해졌다. 그렇게 나는 하루아침에 왕따가 됐다.

그리고 6학년이 되었다. 다행히 새로운 친구들과 어울릴 수 있었지만, 친구들과 즐겁게 지내면서도 항상 불안해했다. 문자에 답장이 빨리 오지 않으면 심장이 세차게 뛰고 손바닥은 땀으로 축축해졌다. 또 다시 왕따당하는 것은 아닐지 무서웠다.

직접 당해본 후에야 나의 행동이 얼마나 잘못된 행동이었는지를 알 수 있었다. 그래서 다짐했다. 이제 친구를 따돌리는 일 따위는 하지 않을 것이라고. 친구들과 다시는 싸우지 않을 것이고 친구가 하자는 일이라면 무조건 같이 해줄 것이라고. 그렇게 만난 것이 다빈이었다.

쉬는 시간 종이 울리자, 친구들은 우르르 사물함이 있는 곳으로 향했다. 그곳에 모인 친구들은 모두 교복 치마 안에 체육복 바지를 받쳐 입고 있었다. 그들은 매 쉬는 시간마다 말뚝박기를 했다. 파란색 체육복으로 만들어진 터널 아래로 상기된 얼굴을 한 채 웃고 있는 친구들이 보였다. 시끄러우면서도 평화로운 그 순간이 좋았다.

수업이 끝나고 다빈과 팔짱을 낀 채로 하교하던 중, 다빈에게 물었다.

"나 오늘 친구 생일 선물 사러 문구점 가야 되는데 너 같이 갈래?"

다빈은 덧니가 살짝 보이게 웃곤 내 팔에 매달리며 말했다.

"그러지 말고 우리 마트 갈래? 거기 문구 종류도 되게 많아."

그렇게 우리는 대형마트 문구 코너에 도착했다. 생일인 친구는 헬로키티 캐릭터를 굉장히 좋아했기 때문에 생일 선물로 헬로키티 볼펜을 선물하려고 했다. 까치발을 들고 높은 곳에 있던 볼펜을 내려 손에 쥐었다. 그때 다빈이 내 손에 들려있던 볼펜을 빼앗아 들었다. 그리고 메고 있던 가방 지퍼를 드르륵 열었다. 가방 틈으로 볼펜의 몸통이 사라지고 헬로키티의 리본이 사라졌다.

다빈은 나를 향해 씨익 웃어 보였다. 항상 귀엽게만 보였던 다빈의 눈웃음이, 살짝 드러난 다빈의 덧니가 그때만큼은 조금 다르게 보였다.

"이걸 아깝게 왜 돈 주고 사냐?"

생각지도 못한 대화에 귀가 먹먹해졌다. 이다음에 무슨 행동을 해야 하나? 머리가 핑핑 돌았다. 입은 벌린 채 멀뚱멀뚱 서 있는 내 모습이 마음에 들지 않았는지 다빈의 표정이 조금씩 굳어졌다. 예쁜 포물선을 그리던 다빈의 눈이 점점 일자로 돌아오고 귀여운 덧니 또한 입술에 가려지고 있었다. 무서웠다. 다빈의 예쁜 미소가 사라지는 것을 원치 않았다.

그래서 진열대로 걸어갔다. 그리고 헬로키티 볼펜 옆에 있던 납작한 편지지 하나를 집어서 얼른 가방에 넣었다. 심장이 쿵쾅거리며 빠르게 뛰었다. 떨리는 마음을 부여잡고 가방 지퍼를 닫았다. 그리고 뒤돌아 다빈을 보았다. 다빈은 그 어느 때보다 환하게 웃어 주었다.

．

．

．

숨이 막힌다. 내부에 모자란 공기를 공급하기 위해 숨을 더 크게 들이마셨다. 그리고 눈을 떴다. 그렇게 오늘도 여전히 저택의 방안이었다.

'뎃니, 그리고 체육복… 다빈이...'

물건을 훔치곤 환하게 웃던 다빈과 불안한 표정으로 나의 손목을 부여잡던 다빈이 번갈아 떠오른다. 왜 자꾸 이런 꿈을 꾸는 것일까? 이것은 잃어버린 나의 기억일까, 아니면 그냥 꿈에 불과한 것일까?

이 저택의 사람들은 모두 나를 싫어한다. 내가 소현에게 했던 일이 정말로 있었던 일이라면 소현이 나를 싫어하는 것은 백번 이해가 된다. 그렇지만 다빈은? 꿈에서 본 것이 다빈과 나의 과거라면 다빈은 나를 싫어할 이유가 없었다. 반복되는 꿈에 너무 혼란스러웠다. 누군가가 답을 내려줬으면 좋겠다고 생각했다.

아무리 고민해도 답이 나오지 않아 그냥 장본인에게 물어보기로 마음먹었다. 다빈은 저택 사람 중 그나마 자신에게 호의적이니 충분히 물어볼 수 있을 것 같았다. 그렇게 결정을 내린 채 침대에서 일어나 준비하고 방을 나섰다. 그리고 조심스러운 발걸음으로 다빈의 방 앞에 섰다.

'똑똑'

노크했지만 방안에서는 어떤 소리도 들리지 않았다. 조금 망설이다가 다시 한번 문을 두드렸다. 그제야 방안에서 부스럭거리는 소리가 조금 들려왔다.

"다빈아, 나 채정인데 잠깐 들어가도 될까?"

조그맣게 바스락거리던 소리가 멈춘다. 조용해진 방안이 이상해 문 앞으로 조금 더 다가갔다. 그리고 문 앞에 귀를 가져다 댔다. 그때 벌컥 하고 문이 열리고 굳은 표정으로 서 있는 다빈이 보였다. 나는 멋쩍은 마음에 자세를 바로 하고 목을 긁적였다.

다빈이 경계심 어린 표정을 하고 왜 왔냐고 물었다. 지금까지 다빈에게서 보지 못한 표정이다. 무관심한 표정도 아니고 불안에 찬 표정도 아니다. 마치 나를 두려워하는 것 같았다. 말도 못 하고 멀뚱멀뚱 서 있기만 한 내가 답답했던지 다빈이 한숨을 내쉬고 들어오라고 했다. 문이 닫히고 나는 종종걸음으로 다빈을 따라 방으로 들어갔다.

"말할 게 있어서 온 거 아니야?"

어느새 다빈의 얼굴은 언제 그랬냐는 듯이 평소의 무표정한 얼굴로 돌아와 있었다. 그 얼굴이 오히려 안심되어서 입을 뗄 수 있었다. 내가 묻는 말에 담담하게 진실을 말해줄 것 같았다.

"내 꿈에 네가 나왔어, 지금 모습 그대로. 나는 조금 더 어린 모습이었고 우린 같은 학교에 다니고 있는 친구였어."

그래서 나도 담담하게 말했다.

"물론 이상하다는 거 알아. 너는 아직 학생이고, 나는 성인이지. 근데 그냥 그렇게 느껴져. 소현이도 그렇고 너도 그렇고, 잃어버린 내 과거랑 뭔가 얽혀있는 부분이 있는 것 같아."

말을 끝내고 다빈을 보았다. 침대에 걸터앉은 다빈은 다리를 달달 떨고 있었다. 불안한 얼굴로 손톱을 물어뜯고 있었다. 저 표정은 로비에서 볼 수 있는 다빈의 표정이다. 대체 그녀는 뭐가 그렇게 불안한 것일까?

"이런 말 조심스럽지만, 혹시 우리가… 같이 도둑질한 적이 있어?"

마지막 말을 들은 다빈의 숨소리가 비정상적으로 커졌다. 숨소리가 점점 빨라지더니 들이마시고 내뱉는 간격이 점점 짧아진다. 생각지 못한 다빈의 반응에 의자에서 벌떡 일어나 다빈에게 다가갔다. 하지만 다빈은 내가 두려운 듯 침대 위로 완전히 올라가 뒤로 물러났다.

무슨 말도 안 되는 소리를 하는 것이냐며 한심한 얼굴로 나를 바라본다거나, 자신이 한 것이 맞다며 담담하게 받아치는 상황만을 예상했다. 아니, 솔직히 말하면 이제야 기억했느냐고 나를 타박하며 나를 향해 다시 웃어주는 그런 행복한 상상도 했다.

그런데 이건 내 예상에 없었다. 차라리 꿈과 현실도 구분 못 하는 바보 취급을 하는 것이 더 나았다. 이러한 반응은 나를, 그리고 지금의 이 상황을 더욱 복잡하게 만들었다.

"미안해. 널 놀라게 할 생각은 없었어."

사과 아닌 사과를 하자, 잠시 숨을 몰아쉬던 다빈이 떨리는 목소리로 물었다.

"만약 그게 진짜 있었던 일이라면, 너는 그때의 너를 지워버리고 싶니?"

생각지도 못 한 질문에 당황스러웠다.

꿈속에서 본 나는 그 이후로도 몇 번 더 그 마트로 향했다. 납작한 가방을 메고 버스에 올라타서 마트 앞에 내렸다. 문구 코너에 가서 마음에 드는 물건들을 스캔한 후 지퍼를 열어 물건들을 담았다. 다빈은 몰랐겠지만 나는 혼자서도 계속해서 도둑질을 했다.

"내가 본 것들이 진짜라면 난 나를 용서하기가 힘들 것 같아."

고개를 푹 숙인 채 작은 목소리로 중얼거렸다. 하지만 다빈이 어쩐지 불안한 목소리로 다시 한번 물었다.

"그때의 너를 완전히 지워버리고 싶니?"

"…그럴 수만 있다면"

나의 대답과 함께 투둑하고 무언가 떨어지는 소리가 났다. 고개를 들어 다빈을 바라보자 다빈의 두 눈 가득 눈물이 고여 있다. 다빈이 눈물을 떨구며 방에서 나가달라고 했다.

내가 원망하는 것은 내 자신인데 왜 다빈이 우는 것이고, 왜 그녀 또한 내가 싫다는 표정으로 나를 바라보는 것인지 모르겠다. 확실히 하고 싶었다.

"너희는 나를 왜 싫어하는 거야?"

내 말을 들은 다빈이 고개를 비틀며 눈을 찡그렸다. 그러다가 감정이 복받친 것인지 나를 향해 크게 소리쳤다.

"우리는! 너를 싫어하는 게 아니라 너를…!"

그때, 다빈의 방에서 큰 소리가 난 탓인지 다빈의 방문이 벌컥 하고 열렸다. 열린 문밖으로 화난 얼굴의 태훈이 보인다.

"너 나와."

낮고 차가운 목소리에 반사적으로 몸이 움츠러들었다.

"너 나오라고!"

태훈이 방 안으로 들어와 내 손목을 아프게 낚아챘다. 나는 저항도 하지 못한 채 질질 끌려 나갔다. 다빈의 방문을 쾅 하고 닫은 태훈이 나를 벽으로 밀어붙였다. 무서운 분위기에 나는 눈을 내리깔고 숨을 죽였다.

"기억도 잃은 주제에 뭘 알아내겠다고 여기저기 들쑤시고 다녀. 제발…그냥 조용히 여기 처박혀 있으라고!"

태훈은 한참을 씩씩거리며 거친 말을 내뱉더니 이내 화난 얼굴로 뒤돌아섰다. 그가 자리를 뜨고 난 후 다리에 힘이 풀려 그대로 주저앉았다. 그들과의 관계는 오늘로써 더욱 나빠졌지만, 오늘 그들과의 대화를 통해 한 가지 알아낸 사실이 있었다.

이건 꿈이다. 지금의 내가 성인의 모습을 하고 있는데, 이것이 현실이라면 그 시절을 함께 보낸 소현과 다빈 또한 지금의 나와 비슷한 모습이어야 했다. 하지만 그들은 내 꿈속 과거의 모습을 하고 있었다. 그들은 전혀 자라지 않았다. 그렇기에 이 저택에서 일어나는 모든 상황은 꿈이다. 그리고 나는 어째서인지 꿈에서 깨어나지 못하고 꿈속의 꿈을 계속해서 꾸고 있다.

'저 부끄러운 기억들이 정말 나의 과거인 것이라면, 어쩌면 기억하지 못하고 살아가는 게 더 편한 게 아닐까?'

태훈

중학교, 고등학교를 거치며 나는 점점 더 작아졌다. 중학생 때 이후로 버릇이 된 도둑질은 고등학생이 되어서도 끊지 못했다. 모두가 교실을 나선 체육 시간에 몰래 반으로 돌아와 친구의 화장품을 훔쳤다. 그러나 얼마 지나지 않아 친구들에게 훔친 물건들을 들키게 되었고 그 사실을 삽시간에 학교 전체로 퍼졌다. 결국 학교에서는 부모님을 호출하였고 모든 소식을 들은 부모님은 학교로 찾아와 선생님과 친구들에게 끊임없이 사과하시고 물건들을 모두 변상하셨다.

사람들에게 몸을 낮춰 사과하시던 부모님을 보고 나서야 도둑질을 끊을 수 있었다. 그리고 그와 동시에 인간관계도 끊어졌다. 친하게 지내던 친구들은 모두 등을 돌렸고, 어딜 가든지 뒤에서 도둑년이라고 손가락질하며 수군대는 소리가 들렸다. 고개를 들고 학교에 다닐 수가 없었다. 지난 과거가 너무 후회스러웠다.

그래서 앞머리를 길렀다. 아무도 나를 못 보게 하고 싶었고 아무에게도 나를 드러내 보이고 싶지 않았다. 너무 부끄러웠다. 그렇게 내 별명은 커튼녀가 되었다. 졸업사진을 찍을 때 담임 선생님의 간절한 애원과 사진기사 아저씨의 투덜거림을 받아내면서도 끝끝내 눈을 가린 커튼은 걷어내지 않았다.

의외로 공부는 곧잘 했던지라 무리 없이 원하던 대학에 들어갈 수 있었다. 대학에는 원래의 저를 알고 있는 사람이 단 한 사람도 없었다. 모든 것을 잊고 새로 시작하기에 아주 좋은 기회라고 생각했다. 그렇게 2년 반 만에 눈 앞을 가린 커튼을 잘라내고 온전한 빛을 보았다. 목소리도 크게 내려고 하고 말끝을 흐리지 않고 대답하는 연습도 했다. 친구라고 할 수 있는 소중한 동기들이 생겼다.

좋아하는 아이돌도 생겼다. 무대에서 몸이 부서지라 춤을 추는 그들의 모습에 반해 음악방송을 따라다니고 콘서트 티켓팅에 목숨을 건 지도 어느덧 1년이 넘었다. 동기들은 이 나이에 무슨 아이돌을 좋아하냐고, 그 시간에 술이나 더 마시자며 타박했지만, 술을 마시며 동기들과 어울려 다니는 것보다는 오빠들을 보는 시간이 더 즐거웠다.

하루는 좋아하던 아이돌의 열애설이 뜬 날이었다. 동기들은 재미난 소식이라도 전하는 것처럼 들뜬 목소리로 나에게 말했다. 하지만 그들의 기대와는 달리 나는 아주 덤덤했다.

"아, 완전 노상관임. 내가 오빠들 좋아하는 건 맞는데 유일하게 걔는 싫어하거든. 우리 오빠들한테 피해 좀 안 줬으면 좋겠는데, 그냥 이 기회에 탈퇴하면 그게 베스트다."

동기들은 이상하다는 표정으로, 한 명만 싫어하는 이유가 무엇인지 물었다.

"걔는 얼굴만 잘생겼지. 노래도 잘 못하고 춤도 못 추고. 그렇다고 똑똑한 것도 아니고 혼자서 할 줄 아는 게 아무것도 없어. 난 그런 사람 제일 싫어하거든, 무능력한 사람."

동기 중 한 명이 깔깔 웃으며 말했다.

"야, 얼굴 잘생긴 게 능력이야. 난 얼굴 잘생기면 끝이던데"

동기가 손으로 목을 긋는 제스처를 하며 장난스럽게 말했다. 나 또

한 그런 동기를 보며 장난스럽게 웃었다.

'얼굴만 믿고 깝치더니 나가리됨'

'멀리 안 나간다.'

'무능하면 팀에 피해나 주지 말든가'

'선착순 마감 임박! 서태훈 탈퇴 시위 파티원 모집합니다. (9998/9999)'

'얘는 처음부터 별로였음. 무식하면 노력이라도 하든가, 팀에 짐만 되는 존재'

'엉뚱한 척, 4차원인 척하는 모습 처음부터 존나 꼴 보기 싫었음'

엄지손가락이 빠른 속도로 글자들을 뱉어냈다. 마음에 들지 않았다. 그의 새파란 머리가 꼴 보기 싫었다. 내 손끝에서 탄생한 말들은 모두 네모나게 각겨있고 날 서 있었지만, 나는 그것이 즐거운 듯 웃었다.

그렇게 대학교 4학년이 되었다. 각종 대외활동, 공모전에 참가하고 인턴십을 지원하는 등 남들과 똑같이 취업 준비에 열을 올렸다. 그렇게 좋아하던 아이돌 덕질도 때려친 지 오래였다. 당장 코앞에 닥친 현실을 헤쳐 나가는 데 바빴기 때문에 누구를 좋아할 겨를도 없었고, 오로지 나 자신만 생각했다. 그렇게 바쁜 일상을 살아가던 중, 버스 정류장에서 여고생 둘이 나누는 이야기가 얼핏 들려왔다. 그리고 그 대화 속에서 익숙한 이름과 함께 생각지도 못한 단어가 들려왔다.

'서태훈' 그리고 '잠정 은퇴'

무척이나 싫어하던 그의 이름이었다. 하지만 서태훈과 잠정 은퇴라니? 내가 알던 서태훈은 그럴 만한 사람이 아니었다. 그는 눈치가 없다 싶을 정도로 밝은 사람이었다. 그리고 내 성에는 차지 않았지만, 그 스스로는 자기 일을 무척이나 사랑했다. 유튜브에 그들의 이름을 쳐서 나오는 영상들을 살펴보았다. 아래로, 아래로 영상을 내리는 손가락이 점점 더 다급해졌다.

'서태훈 잠정 은퇴, 이유는 악플?'

바쁘게 움직이던 손가락이 한 영상에 멈춰 섰다. 떨리는 손으로 영상을 클릭하니 어두운 표정의 태훈이 보인다. 무척이나 살이 빠진 모습을 하고 퀭한 얼굴로 카메라 앞에 서 있던 태훈이 힘겹게 입을 뗀다.

"아무리 노력해도 멤버들을 실력에서 따라갈 수는 없었어요. 그래서 뭐라도 열심히 해보자는 마음으로 더 나서도 봤는데 어느 순간 저는 그냥 무능력하면서 4차원인 척 나대기만 하는 사람이 되어있더라고요. 그 사람들이 말한 제 모자란 모습이 정말 저의 모습인 것 같아서, 이제 노래하고 춤을 춰도 행복하지 않아요. 이런 마음으로 도저히 여러분 앞에 웃고 서 있을 자신이 없어졌습니다. 죄송합니다."

표현 하나하나가 익숙했다. 언젠가 제 입으로, 제 손으로 뱉어낸 말들인 것 같았다. 항상 웃음만이 가득했던 그의 얼굴에서는 더 이상 웃음기는 찾아볼 수 없었다. 항상 행복해 보이던 그는 이제 전혀 행복해 보이지 않았다.

순간 머리를 세게 맞은 것처럼 띵했다. 귀에 이상한 소리가 들리는

것 같았다. 자신이 그를 그렇게 만든 것 같았다. 아니 만들었다. 한 사
람의 인생을 망쳤다. 항상 행복한 얼굴로 웃던 사람인데 그에게서 웃
음을 빼앗아 버렸다.

.

.

.

눈을 뜨고 싶지 않았다. 분명 문에 등을 기댄 채로 앉아 있었는데 어
느샌가 문 앞에 엎드린 채로 흐느끼고 있었다. 그렇게 한참을 울다가
몸에 힘이 빠져 바닥에 누워버렸다. 천장의 전등이 밝다. 눈이 부신 기
분에 팔을 들어 올려 눈을 가렸다.

문을 열고 나가 태훈의 얼굴을 볼 자신이 없었다.

금지된 방

"야, 귀찮게 하지 말고 나와."

태훈의 목소리가 들렸다.

제가 또 무엇으로 그를 화나게 한 것인가? 고개를 비집고 나오는 자책감에 마음이 무거워진다. 무거운 발걸음을 옮겨 문을 열자, 짜증이 잔뜩 난 표정으로 서 있는 태훈의 얼굴이 보인다.

"내가 너 밥 먹으라고 모시러 와야겠냐?"

그가 뭐라 뭐라 말을 하는 것 같은데 귀에 들리지 않는다. 그의 일그러진 표정과 푸른색 머리칼만이 눈에 들어온다. 이 이상한 꿈에서도 태훈은 웃고 있지 않다. 내가 그를 이렇게 만들었다.

그때 눈앞에 무언가 흐릿한 게 왔다 갔다 했다. 태훈의 손이었다. 그제야 정신을 차리고 두 눈을 크게 뜨고 그를 바라봤다. 다시 한번 내려오라고 재촉하는 태훈을 따라 쭈뼛쭈뼛 계단을 내려갔다.

죄지은 사람처럼 고개를 푹 숙인 채 태훈과 소현의 눈치를 살피며 밥을 먹었다. 내가 힐끔거리는 게 느껴진 것인지 태훈의 표정이 썩 좋지 못했다. 내가 다시 한번 그를 힐끔거리는 순간 그가 나를 향해 고개를 확 돌리며 입을 열었다. 그에게서 날아올 날카로운 말들에 대비하여 눈을 꼭 감았다. 하지만 들려온 것은 차분한 소현의 목소리였다.

"우리한테 죄책감을 느낄 필요 없어. 우리는 그들이 아니거든."

갑작스러운 소현의 말에 다빈과 태훈마저 놀란 표정으로 그녀를 쳐다봤다. 오로지 소현만이 아무렇지 않은 얼굴로 밥알을 꼭꼭 씹었다. 그렇게 혼란스러움만 남긴 불편한 저녁 시간이 끝났다.

그날 새벽, 복잡한 마음에 이리저리 몸을 뒤척이며 잠에 들지 못했다. 그때 아래층에서 무언가 시끄러운 소리가 들려왔다. 흐느끼는 소리 같기도 하고 고통스러워하는 신음 같기도 했다. 처음 듣는 이상한 소리에 겁부터 났다. 그래서 이불을 머리끝까지 뒤집어쓰고 몸을 웅크린 채 귀를 막았다. 이불 속에서 불안하게 뜬 눈만 요리조리 굴리고 있는데 갑자기 '쿵'하는 큰 소리가 들렸다. 머릿속으로 온갖 안 좋은 상상이 떠올랐다. 이 저택 안의 사람들은 태훈을 제외하고 모두 저보다 어린 소녀들이었다. 비록 쌀쌀맞기는 하지만 매번 제 끼니를 잊지 않고 챙겨주는 태훈 또한 걱정되었다.

고민 끝에 이불을 걷어내고 방문을 열고 나섰다. 최대한 살금살금 계단을 내려갔지만, 낡은 마룻바닥은 큰 용기를 낸 나를 도와줄 생각이 없는 듯했다. 저택 안의 싸늘한 공기가 내 볼을 감싸고 바닥의 차갑고 거친 감촉이 내 맨발을 괴롭혀 더욱 긴장케 했다.

1층까지 내려간 나는 조심스럽게 고개만 빼내어 거실을 살펴보았다. 아무도 없이 조용했다. 잠시 안도의 한숨을 내쉬고 계단 아래로 완전히 발을 내디뎠다. 그 순간 쿵 하고 다시 큰 소리가 들려왔다.

소리의 근원을 알았다. 금지된 방이었다.

방문 앞에 서서도 한참을 망설였다. 모두가 이 문을 열지 말라고 하였는데 과연 문을 열어도 될지 고민되었다. 그때 문 안에서 누군가가 고통스러워하는 신음이 들렸고 저택의 아들일지도 모른다는 생각에 문을 열었다.

문이 열리고 보인 장면은 뜻밖이었다. 그곳은 방이 아니었다. 정원이라고 하는 것이 더 맞았다. 천장이 없었으며 바닥은 벽돌과 같은 돌로 만들어져 있었다. 마치 중세 시대의 신전과도 같은 생김새였다.

그곳에는 한 노파가 서 있었다. 허리가 굽은 백발의 노파가 뭐라 뭐라 중얼거리고 있었다. 머리에서는 가까이 가지 말라고 하는데 발이 멋대로 움직였다. 그 노파를 향해 천천히 다가갔다. 노파는 고개를 처박고 계속 중얼거리다가 내가 다가가는 소리를 들은 것인지 천천히 고개를 돌렸다.

노파의 입가는 무언가 묻어있는 것처럼 번들거렸고, 시선은 어디를 향해 있는 것인지 알 수 없을 만큼 흐렸다. 그런 노파가 내 쪽을 향해 말했다.

"언니, 배가 너무 고파"

나를 언니라고 부른 노파가 갑자기 허리를 숙이더니 돌 사이에 나 있던 풀들을 뜯어 입에 마구 쑤셔 넣었다. 그 풀들은 푸릇푸릇한 일반 풀들이 아니었다. 생김새는 마치 삶은 콩나물과 같이 생긴 것이 살아 있는 식물이라고는 할 수 없을 만큼 이상한 생김새였다. 노파는 빠른 속도로 허겁지겁 바닥의 풀들을 뜯어 입에 넣었다. 그리고 쩝쩝거리며 풀들을 씹었다.

나는 몸이 굳은 채로 노파를 지켜보고 있었다. 잠시 후 노파가 괴로운 듯이 이상한 소리를 내며 몸을 비틀었다. 그리곤 울컥하는 소리와 함께 먹은 풀들을 모두 토해냈다. 누런 액체와 콩나물 대가리 같은 찌꺼기가 돌 틈으로 스며들었고 노파의 입가는 번들거렸다. 속이 울렁거리고 토가 나올 것 같아서 입을 틀어막았다.

그때 노파의 토사물을 뒤집어쓴 돌 틈에서 그 이상한 풀들이 다시 자라났다. 노파는 그 풀들을 보고 다시 미친 듯이 달려들어 풀을 뜯어 먹었고 토해내기를 반복했다. 너무 기괴한 광경에 몸이 굳어 도망가지 못하고 노파에게 시선을 고정한 채로 겨우겨우 뒷걸음질만 치고 있었다.

그때 등 뒤에 문이 벌컥 열리더니 누군가가 날 뒤로 끌었다. 정신을 차리고 뒤를 돌아보니 소현이 서 있었다. 그리고 소현의 뒤로 겁먹은 듯한 표정의 태훈과 다빈이 보였다.

"문을 열었네."

소현이 담담한 얼굴로 말했다. 하지만 평소와 달랐다. 금지된 방의 문을 열어서 화가 난 것일까? 아니다. 그녀의 표정은 무언가 체념하고 무언가 결심한 사람처럼 보였다.

소현이 뒤에 있는 태훈, 다빈과 시선을 주고받는 것이 느껴졌다. 그리고 누군가가 내 손목을 잡고 날 뒤로 이끌었다. 나는 얼이 빠진 채로 끌려 나갔다. 어느새 내 발은 차가운 돌이 아니라 나무 바닥 위에 올라가 있었고 다시금 익숙한 끼익 소리가 들렸다.

나는 소현을 계속 바라보고 있었다. 소현은 점점 노파에게로 다가

갔다. 풀을 뜯고 토해내길 반복하던 노파가 행동을 멈추고 천천히 소현 쪽을 돌아본다.

"고생했어. 이제 내 차례야."

소현의 말이 끝나자, 노파의 모습이 점점 흐릿해진다. 손끝과 발끝이 뿌예지며 사라지더니 점점 몸통으로 번져가다 이내 완전히 사라진다. 나는 넋이 나간 채로 그 광경을 지켜봤다.

잠시 후 소현이 천천히 손을 올려 빨간색 안경을 벗었다. 빨간 안경테가 돌바닥으로 떨어져 가볍게 부딪치는 소리가 났다. 소현의 몸이 점점 길어지더니 이내 등이 굽기 시작했다. 목은 앞으로 빠지고 머리카락은 점점 흰색으로 변해갔다. 소현의 크고 쌍꺼풀 짙은 눈은 점점 생기를 잃더니 이내 움푹 파이고 얼굴에는 하나둘 주름이 늘어갔다. 믿을 수 없는 광경에 온몸이 덜덜 떨렸다. 뒤에서 나를 잡고 있던 손에서도 떨림이 느껴졌다.

어느새 소현은 노파와 똑같은 모습을 하고 있었다. 예전 소현의 모습은 찾아볼 수 없었다. 바닥에 떨어진 빨간 안경만이 그녀가 여기에 있었다는 것을 알려주는 듯했다.

소현은 노파가 서 있던 곳으로 천천히 걸어갔다. 그리고 천천히 손을 뻗어 바닥에 자라 있는 풀들을 뜯었고 입에 넣었다. 입술을 우물우물 움직이더니 잠시 후 모조리 토해냈다. 한참을 토해내던 소현이 다시 자라난 풀을 향해 손을 뻗었다. 소현의 손놀림이 전보다 빨라졌다. 풀들을 뜯어 입에 마구 밀어 넣고 토해내고를 반복했다.

넋을 놓고, 노파인지 소현인지 모를 그것을 보고 있는데 갑자기 몸이 밀려나더니 문이 닫혔다. 태훈이 나를 저택 안으로 끌고 들어온 거였다. 바닥에 주저앉아 하염없이 방문을 바라봤다. 건너편에서는 여전히 무언가를 토해내는 고통스러운 목소리가 들려왔다.

떨리는 목소리로 말을 했다.

"이상한 소리가 나서… 금지된 방을 열었는데 어떤 할머니가… 그런데 소현이가… 할머니가…"

내가 두서없이 말을 내뱉는데도 다빈과 태훈은 아무런 말을 하지 않았다. 소현을 구하러 가야겠다는 마음에 다시 문을 열려고 했다. 문고리에 손을 올렸는데 다빈이 내 손을 낚아챘다.

"문이 열리면, 우리 중 누군가는 또 노파가 되어야 해."

다빈의 충격적인 말에 문고리에 올려놓은 손이 저절로 미끄러져 내려왔다.

"저번에 소현이 말했지. 우린 그들이 아니니 우리에게 죄책감을 느낄 필요가 없다고"

"맞아. 우린 그들이 아니야."

태훈과 다빈이 나를 보고 말했다.

"우리는 너야. **과거의 너**"

그들은 믿지 못할 이야기를 했다. 머리가 멍했다.

"너는 끝까지 우리를 받아들이지 못 하고 고통스러워했어."

"우리도 너인데 너는 우리를 지워버리려고만 했지. 그래서 이 공간 속에서 우리가 나누어진 거고, 현재를 살아가는 너는 아무것도 기억을 못 하게 된 거야."

"이 마을은 과거의 우리가 살아가고 있는 공간이고, 여기 저택은 일
종의 감옥이야."

"우리가 왜 이런 모습을 하고 있냐고 물으면, 일종의 벌을 받고 있
다고 할게. 매일매일 눈을 떠서 잠에 들기 전까지 우리 때문에 힘들어
한 사람의 얼굴을 보면서 죄책감을 느껴야 하니까."

갑작스럽게 밀려 들어오는 이야기에 과부하가 걸릴 것 같았다.

"여기 갇혀서 영원히 나 자신을 증오하면서 살아야 하지."

"자기 잘못을 먹고 토해내고 다시 먹고 토해내는 노파가 될 때까지"

"우리에게 미래는 없어. 네가 여기서 깨어나는 순간 우린 모두 사라
지겠지."

채정

믿을 수 없는 말을 들어 머리가 너무 혼란스러웠다. 나를 바라보고 있는 태훈과 다빈을 뒤로하고 저택을 뛰쳐나왔다. 문을 닫고 나온 마을은 무척이나 조용하고 평화로웠다. 어느새 날이 밝은 건지 저 멀리 해가 뜨고 있는 모습이 보였다. 나는 해가 떠오르는 쪽을 향해 무작정 걸었다.

그 순간 한 주택의 문이 열리고 문밖으로 누군가 기지개를 켜며 나왔다. 또다시 믿을 수 없는 광경에 걸음을 멈출 수밖에 없었다. 문을 열고 걸어 나온 사람은 나였다. 그 사람은 지금의 내 모습과 아주 비슷한 모습을 하고 있었다. 또 다른 내가 뒤를 돌기 전 후다닥 뒤를 돌아 반대 방향으로 뛰었다.

마을 사람들이 하나둘 보인다. 모두 나의 모습을 하고 있다. 아주 어린 시절의 모습부터 현재와 아주 비슷한 모습까지.

이 마을은 **채정** 자체였다.

모든 것을 알아차린 순간 그동안의 기억이 모두 돌아왔다. 초등학교 때 소현을 따돌렸던 일부터 다빈과 함께 도둑질을 하고, 인터넷에 태훈의 악플을 달던 기억까지.

내가 잘못한 일들을 잊고 살아가고 싶었다. 없었던 일로 하고 깨끗하게만 살고 싶었다. 과거의 나를 아는 모든 사람들이 사라졌으면 싶었고, 그럴 수만 있다면 지우개로 깨끗하게 지워버리고 싶었다. 내가 그런 짓들을 했다는 것을 받아들일 수 없었다. 좋은 모습만 착했던 모습만 나의 모습으로 남기고 싶었다. 내가 잘못했다는 것을 인정하고 싶지 않았고 그때는 그럴 수밖에 없었다는 핑곗거리를 자꾸만 만들어 냈었다.

하지만 나의 이런 모습 때문에 지금의 저택이 만들어졌다. 과거의 채정들이 저택이라는 감옥에 갇혀 끊임없이 고통을 받아왔고 나는 과거와 미래를 잃어버렸다. 내가 바뀌지 않는 이상 정말 더 이상의 미래는 없었다.

저택으로 돌아갔다. 태훈과 다빈은 여전히 금지된 방 앞에 주저앉아 있었다. 그들은 모든 것을 알게 된 내가 자신들을 금지된 방으로 보낼 것을 기다리고 있는 것 같았다. 지금의 나를 괴롭게 하는 자신들을 없애버린 후 이 안에서 그저 그렇게 살아갈 것이라고 생각하는 것 같았다. 그 모습이 너무 나다웠다. 나를 믿지 못하는 내 모습이 너무나도 나였다.

그래서 그들에게 더 당당하게, 담담하게 말했다. 처음으로 그들의 두 눈을 똑바로 바라보고 말했다.

"너희가 있어서 지금의 내가 있을 수 있었어. 그리고 지금까지의, 또 앞으로의 내가 모여서 점점 더 좋은 사람이 되기 위해 노력할 거야."

내 말을 들은 다빈과 태훈의 눈이 커졌다. 전혀 예상하지 못한 말을 들은 것 같은 반응이었다.

"난 너희를, 내 과거를 잊지 않을 거야. 그런데 과거에만 갇혀 있을 수는 없어. 나는 이 저택을 나가려고 해."

내 말이 끝나자, 그들의 모습이 바뀌었다. 다빈은 중학교 시절 나의 모습으로, 그리고 태훈은 대학생 시절 나의 모습으로, 그렇게 그제야 모두가 자기 모습을 찾았다.

결국 내가 증오했던 사람은 나 자신이었다. 내가 두려워한 것도 나 자신이었다.

"미안하고 고마워. 이제 저택은 없어."

다빈이었고, 태훈이었던 나에게 다가가 손을 내밀었다. 그들은 잠시 머뭇거리더니 나에게 다가왔다. 나와 나의 손이 맞닿았다. 그 순간 밝은 빛이 우리를 감쌌고 나는 눈부심을 이기지 못하고 질끈 눈을 감았다. 무언가 따뜻한 느낌이 들었다. 비워진 부분이 채워지는 기분이었고 잃어버린 것을 되찾은 기분이었다.

주위가 원래대로 어두워지고 다시 눈을 뜬 순간 그들은 보이지 않았다. 고개를 돌려가며 여기저기 둘러보았지만 아무도 없었다. 혹시 문을 열고 나간 것인가 해서 저택의 문을 열었다.

내가 문밖을 나서는 순간 큰 소리를 내며 오랜 시간 서 있었던 저택이 무너지기 시작했다. 나는 입구에 서서 저택이 무너지는 것을 하염없이 바라보았다.

'지금의 내가 완벽한 사람이 아니어도 괜찮아. 과거의 내가 모여서 지금의 내가 된 거고 이후의 내가 모여서 조금 더 나은 사람이 될 거야. 그렇게 살아가면 돼.'

저택이 무너졌다. 그리고 나는 깨어났다.

내 안에 살아 숨 쉬는 과거의 채정들을 느낀다.

방콕을 여행하다.

최지원

최지원　　덕질도 하고, 소소한 여행을 즐기고, 새로운 만남을 좋아하는 사회생
활 E, 사생활 I 인 평범한 사람입니다. 어느날 좋아하는 가수가 생겨서
해외 투어를 따라다녔고, 소소하게 팬카페에 투어 여행기를 올렸어요.
쓰는 저도 재미있고, 봐주시는 다른분들도 즐거워 하셔서, 여행자체를
기억으로만 남기기 보다는, 글로 남기고 싶어서 시작하게 되었습니다.
기회가 된다면 과거 덕질여행도 차근차근 남겨보고 싶네요.

인스타그램: jiwon7102_ten2

사람이 여행하는 것은 도착하기 위해서가 아니라 여행하기 위해서
이다. -괴테-

여느 해와 같이 일이 많은 여름이었다. 나의 직업은 학원 강사이다.
보통 입시학원 선생님들은 여름방학 겨울방학이 바쁘다. 그래서 여름
휴가는 보통 이틀 정도가 다이다. 그래서 해외여행은 꿈에도 생각 못
했는데, 올해는 8월 15일을 껴서 토~화 4일이었다.

"코로나 시국에 못 간 여행을 가자."

라고 결정하고서도, 친구 호의에 기대어 호텔 예약, 비행기 예약 모
두 친구에게 미루고, 여전히 일로 바쁜 여름을 보내고 있었다. 하루가
어떻게 가고 있는 모를 바쁨이었다.

그렇게 대망의 휴가가 시작되던

첫째 날이다.

아침부터 내리는 비를 맞으며 일하러 가는 건지, 쉬러 가는 건지, 이해 못 한 상태로 인천공항으로 향했다. 공항은 전 세계에서 입국했던, 잼버리 학생들의 출국으로 인산인해였다. 직항으로 또는 경유해서 집으로 가는지, 출국수속 밟고 있는 일부 학생들과 공항 이곳 저곳을 돌아다니는 지도자들로 출국이 쉽지 않았다.

우리 학원은 매년 한 번씩 해외로 강사 연수를 간다. 그 강사 연수를 4년 만에 간다고 모였던 3월 어느 날, 뷔페 2인이 1명 가격으로 먹을 수 있다는 얘기에 들렸던 뷔페, 입장할 때 핸드폰 뒷면에서 발견된, 그나마도 일하시는 분이 알려주신, 뷔페 무료 카드로 맥주 한잔에 간단한 안주를 먹고 출발했다.

시끄러운 비행기 소리가 헤드폰 기능으로 잠잠해지는 것을 느꼈지만 그게 다였다. 가면서 그림도 그리고, 글도 써보려고 했지만, 멍하니 앉아서 노래 듣다가 자다 깨다 를 반복하며, 이유 없는 짜증을 참는 게 다였다.

그렇게 도착한 태국의 방콕은 한국과 별다름 없는 더위였지만, 냄새, 습도가 미묘하게 달랐다. 마치 지금까지 숨을 어떻게 쉬고 있었는지도 몰랐다는 듯, 답답한 물속에서 나온 것 같았다. 여름까지 달려왔던 일에서 멀어진다는 건, 그런 거였나 보다. 한밤중에 달려간 편의점, 알아듣지 못하는 대화를 하는 사람들 사이에서 한껏 예민했던 귀와 정신이 드디어 이완되기 시작했다. 편안한 숨이 쉬어졌다. 오랜만에 친구와 침대에 누워 수다를 떨다가 자자했는데, 어느새 잠이 들었다. 평상시에 잠이 짧고 잠들기 어려워하던 이가 누군지 참, 눈을 뜨니 아침이었다.

집이 아닌 곳에 머물게 되면, 아침 식사할 때 느끼는 숙소 인상이 있다. 그 숙소 사용인들 혹은 주인들을 만나면서 시작되는데, 아침 만남에 반갑게 인사하고, 잘 잤는지 불편한 곳은 없는지 살펴주는, 당연한 말 한마디가 (대화할 때 목소리 그날의 분위기 표정 등) 그 숙소의 이미지가 된다.

이번 숙소는 좋다. 지나가는 사람들에게 뭔가 부탁했을 때 나오는 세심한 배려, 체크인 할 때부터였는데, 우리가 일하시는 분이 하는 말을 못 알아듣고 있었다. 그분이 설명하려고 애쓰다가 안 되겠는지, 파파고로 찾아서 읽어주신 한마디 "보증금"에 빵 터졌다. 그리고 거기에서 나온 행동, 본인이 한국어 공부를 더 하겠다며 윙크를 날리고는, 본인이 일하다 먹는 것 같은 사탕을 주섬주섬 꺼내더니, 친구와 나에게 주며 잠시만 기다려 주란다. 어느 날은 호텔 안에서 길을 잃었다. 마냥 걸어가고 있는데, 일하시는 분들이 바쁘게 지나가다 말고, 어디로 가냐고 묻는다, 얘기하니까 길 잃기 쉽다며, 안전한 데까지 데려다 주시고 다시 가신다. 또 마지막 날은 친구와 짐을 맡기고 쇼핑센터에 왔다. 근데, 친구가 핸드폰이 없어졌다는 거다. 호텔로 달려가서 핸드폰을 잃어버렸다고 하니까. 일하시는 분이

"네 손에 있는 거 핸드폰 아님?"이라고 하며 분위기를 부드럽게 환기한다.

빵 터져서 웃으며 친구 것을 찾는다고 하니까. 맡겨놓은 짐을 빠르게 꺼내준다. 그 짐에도 없어서 숙소에 가볼 수 있냐? 하니까. 본인이 다녀온다더니, 정말 날아갈 듯 뛰어가서 가져다 주신다. 그러고는 즐거운 하루 보내라며, 웃으면서 다시 바쁘게 일을 하러 간다.

그분들은 나를 정말 행복하게 해주었다. 낯선 호텔이었지만, 호텔 사람들에게서 전해 오는 친절함이 좋았다. 아니면 당연한 건데, 휴가로 이완된, 내 마음이 다른 사람의 태도를 관대하게 보게 하는 걸까?

나름 여러 곳을 여행하면서 다니면서 생각을 정리하게 된 것이 있다. 요즘 생긴 모던하고, 신상의 고급 호텔도 좋지만, 적당히 오래되고 관리가 잘된, 고풍스러운 호텔을 내가 좋아하는 것 같다. 건물이 조금 오래되고 노후 되도, 그런 호텔에서 오래 일해 온 숙련된 사람들의 서비스가 좋다. 물 흐르듯이 자연스러운 대응, 과하지 않은 정확한 친절함, 내가 원하는 바를 정확하게 이해하고 도와준다. 배정받은 방은 엘리베이터 앞에 있었는데, 호텔 중앙이라서 이동도 편하고, 전망이 너무 좋았다. 방음도 잘 되어서 더 좋았던 듯하다.

둘째 날

아침 조식은 전망이 다 하는 것 같다. 너무 좋다. 일하는 곳에서 탈출한 나는 어디든 좋겠지만, 입이 좀 짧은 나는, 음식을 한꺼번에 많이 못 먹는데, (입이 짧은 거랑 날씬한 것은, 다른 거다 음…… 그렇다고)

아침부터 쌀 국수와 과일을 먹으면서, 오늘의 일정을 준비한다.

마사지, 가벼운 쇼핑, 태국 요리 배우기를 계획했다.

친구의 소원인 방콕에서 하루에 한 번 마사지 받기, 난 허리가 아파서 마사지를 많이 받기가 힘들다. 바닥에 납작 엎드리기도 힘들고, 압이 강한 마사지가 안 맞는 것 같아 아로마 마사지를 받았다, 나를 해준 분이랑 처음에 만나자마자 허리를 가리키면서, 아프다고 소프트, 소프트 하고, 어깨를 가리키면서 하드, 하드 했더니, 까르르 웃으시더니 충분히 이해했다면서, 부드럽게 해주신단다. 언제든지 아프면 얘기하라고, 세상에 난 인복이 많은가 보다. 어제부터 만나는 사람들이, 다 햇살 같다. 따뜻하고 상냥하고, 몽글몽글 행복하게 해주는 친절함, 방콕이라서 일까 아님 휴가 기간에 바뀐 나의 마음가짐일까?

점심이 늦었다, 안 먹던 아침을 먹었더니 세상에 배가 고플 리가 없지. 그래도, 점심은 먹는다. 아까 얘기한 것처럼 입 짧은 거랑 자주 먹는 거는 다른 거다. (뭐, 그렇다고) 맥도날드를 갔다. 치즈버거를 골랐다. 향신료에 약한 나는 선택권이 별로 없다. 빅맥의 맛이 궁금했지만, 그냥 먹었다. 나라별로 맛이 같은지 다른지 몰라서 선뜻 고르기가 힘들었다. 그리고 나서는 쇼핑센터 건물로 들어가는데, 땡모반을 만들어 주는 데가 있었다. 다들 꼭 먹고 오라고 추천했던 수박을 얼음과 같이 갈아주는 음료다. 먹어봐야지, 근데 수박 씨는 어쩔 거야, 수박 씨와 같이 먹는 게 힘들다. 지금 생각해 보니까 있는 대로 까다롭다. 무난한 척한 거 반성해야겠다. 어쨌든 간단한 쇼핑을 한다. 난 쇼핑을 즐기지 않는 사람인가 보다. 방콕에서 유명한 게 뭔지도 모르고, 친구

따라서 산다. 왕궁 벌꿀, 비누, 캐러멜, 치약 등등.

호텔 근처 쇼핑센터를 온 이유는 나 때문이었다. 멀리 가서 쇼핑하고, 무거운 짐을 들고 다시 오는 건, 시간 낭비라면서 말렸었다. (친구야 우리 이제 몸 생각할 나이야) 쇼핑이 금방 끝나고, 이번 여행에서 내가 꼭 하고 싶었던, 태국 음식 만들기 체험 시간까지 시간이 남았다.

호텔 근처의 카페를 찾았는데, 조금 걸어서 골목을 들어서니, 현지 사람이 살고 있는 듯한 골목 가에 주택을 개조한 카페가 있었다. 입구에는 정글 분위기가 나게 커다란 잎이 자라는 화초들이 심겨 있고, 그 화초들로 우거져서 작은 숲 느낌이 나는 카페였는데, 사장님이 백인분과 동양인분이었다. 동양인 사장님이 사근사근 친근하셔서, 잘 못하는 영어가 좀 아쉬웠다. 대화를 해보고 싶어서, 영어 수업을 두어 달 정도 전부터 다니고 있었는데, 숙제는 안 해가고 매번 선생님이랑 수다만 떨다가 나왔는데, 좀 아쉽다. 내년에도 휴가 기간이 괜찮으면, 올해 못한 현지 사람이랑 대화해 보기를 꼭 이루리라! 생각하며 시원한 라테 한잔과 서비스로 주신 과자를 먹고, 시간 없음을 아쉬워하며 나왔다.

슬슬 저녁이 다가오고 드디어 요리 교실에 갈 시간이다. 친구와 택시를 불러 타고, 30분은 일찍 도착한 것 같다. 유리창 너머로 전화하는 사람과 눈이 마주쳤다. 혹시 선생님일까? 들어가서 인사를 하니, 예약자 내 이름만 받고 앉아서 기다리란다. 병아리 모양 소스 병, 코코넛으로 만든 국자, 이름을 알 수 없는 향신료와 새 빨간색 고추로 만든 장식물들이 새롭다. 벽에 붙여놓은 예쁜 그릇들, 요리 교실 이름이 들어간 앞치마, 아기자기하고 사랑스러운 1층 공간이다.

어 근데, 갑자기 하늘이 어두워지면서 장대비가 내린다. 더운 날씨에 주룩주룩 오는 비로 바람까지 불면서 시원하기까지 하다. 친구와 시원한 에어컨 밑에 앉아서, 유리창 너머로 비 오는 길거리를 구경하고 있다 보니, 하나 둘씩 사람들이 나타난다. 걸어오다가 비 맞은 사람들이 대부분이다. 일찍 와서 다행이다. 내가 걸어가자고 했지만 친구가 택시 타자고 해서 탔는데 다행이다. 친구 말 잘 들어야지. 여러 인종의 사람들이 들어온다. 계속 꾸역꾸역 너무 많은 거 아니야? 30명쯤은 되어 보이는데, 일하시는 분은 익숙한 듯, 비 맞은 사람들을 위해 수건을 가져다 준다. 친구끼리, 애인끼리, 가족끼리, 어떤 분은 오자마자, 일하시는 분들과 사진을 찍고 자기소개하고 가족 소개를 하고 있다. 그분과 수업 들으면 나의 TMI가 다 털릴 것 같다. 사람들이 너무 많아서 당황하고 있는데, 사람들이 세 그룹으로 나뉘어서, 이층부터 사층에 분리되어 수납되었다.

우리 그룹은 한국인 다섯 명 나와 친구, 대구에서 친구끼리 온 세 명, 멕시코에서 오셨다는 가족 네 명이었다. 우리 선생님 성함이 뭐였더라. 기억해야 하는데, 한국에서 예약하고 간 요리 교실인데 영어로만 수업이 된다. 바디 랭귀지를 해야겠다며, 마음의 준비를 한다. 어! 그런데 선생님의 얘기가 이해된다. 쉬운 영어로 천천히 얘기해 주신다. 자기소개를 하시더니, 오늘 할 요리를 얘기해 주신다. 커다란 테이블에 요리재료가 세팅되어 있는데, 태국 요리의 재료는 색이 다채롭고도 익숙하다. 토마토, 부추, 고추, 마늘, 라임, 당근, 버섯, 망고,

파파야, 생강, 쪽파, 샬럿, 그리고 처음 보는 향신료들 향신료 종류가 많다.

첫 번째 요리는 똠얌꿍이다. 선생님이 얘기해준 재료를 가져와서 사 등분만 하면 된다. 요리를 못해서 걱정했는데 다행이다. 새우가 들어간 국물 요리인데, 달콤한 김치찌개 맛이다. 친구와 나는 향신료를 못 먹어서, 예약에서부터 고수만은 빼 달라고 해서, 다행히 맛있게 먹을 수 있었다. 고수 잘 먹고 싶다. 난 동남아, 중국 요리를 잘 못 먹는데, 향신료의 영향이 크다. 잘못해서 음식에 들어간 향신료를 씹으면, 그날은 음식을 더 이상 못 먹는다. 내가 느끼는 그 향신료의 맛은 로션 또는 향수 맛이다. 얼굴에 바르는 걸 먹는 느낌인 거다. 그러고 나면 입맛이 없어진다. 전보다는 그나마 좋아진 건, 국물에 들어간 건 조금은 참고 먹을 수 있다는 거다. 계속 먹다 보면 좋아지겠지, 라고, 생각한다만 쉽지 않다. 제발 맛있게 먹을 수 있었으면……

두 번째 요리는 팟타야 이다. 새우가 들어간 볶음국수인데, 생숙주와 라임을 뿌려서 먹는 요리다. 볶음 쌀 국수의 고소함과 라임과 숙주의 아삭 상큼함이 좋다. 누가 그러길, 요리 교실에서 먹은 태국 음식이 젤 맛있다더니, 그런가 보다. 집에서 꼭 해 먹어봐야지 했는데, 여행에서 돌아온 지 어언 두 달 아직 못 해 먹었다. 올해 안에는 꼭 해 먹어봐야겠다.

세 번째 요리는 솜땀이다. 이 요리는 선생님이 절구에 찧어야 한다면서, 만들어 주셨다. 덜 익은 파파야로 만드는 샐러드인데, 라임과 생선 소스 고춧가루 아주 조금 들어간 무생채 김치이다. 상큼 짭짤하니 맛있다.

네 번째 요리는 그린카레다. 향신료로 카레 원액을 만들어주셔서, 음식에 좀 들어갔다. 요리하는 게 재미있어서 몰랐는데, 나도 모르게 이 음식만 남겼었네, 배가 불러서 남긴 줄 알았는데, 참으로 일을 잘하는 입이구먼! 그 놈의 향신료는 몸으로 느끼는 단계인 거다. 맛은 달콤한 카레 맛이다. 중간중간 선생님이 요리 재료를 설명하면서 농담하시는데, 다 제대로 만들려면 하루나 이틀이 필요하다면서, 요즘은 근처 마트에서 다 판다고 사 먹으란다. 세상 살기 좋아졌단다. 같이 드시자 고 식사는 언제 하시냐고 하니까, 매일 만들면서 냄새를 맡으니까, 입맛이 없단다. 하긴 어디를 가든 뭐를 하든, 일로 하는 건 재미가 없다.

마지막 다섯 번째 요리는 디저트인 망고 밥 이다. 이것도 밥을 해서 코코넛우유를 넣고 섞어서 뜸을 들이는 것이어서, 요리하는 모습을 보여주셨다. 이 달콤한 밥을 망고와 같이 먹는 건데, 쉽게 생각하면 약식 같다. 우리가 카레를 먹는 동안 디저트라며, 예쁘게 세팅해서 덮어놓고, 영상 찍으라고 하면서 따란~~ 하고 여는데 선생님이 귀여우셔서 다들 환하게 웃었다.

태국 요리 교실은, 요리는 체험이라서 조금만 하고, 예쁘게 보고, 맛있게 먹고, 선생님 얘기에 웃다 보면 다 끝나있다. 맛있게 먹고 배를 두드리면서, 행복하게 웃으며 나오면 된다.

우리의 다음 계획은 숙소에 들어가기 전에 바에 들러 술 한 잔 하자였는데, 배가 너무 불러서 숙소에서 잠시 수다 떨고, 편의점만 갔다가

와서 바로 잠이 들었다. 뭉쳐있던 어깨만큼 피곤이 쌓여있었나 보다. 친구가 말하길 얘기를 조금 하더니 금방 쌕쌕 거리면서 자더란 다.

편의점 얘기가 나와서 그런데, 이런 얘기를 써도 되는지 모르겠지만, 방콕 편의점에서 구매한 '소피 쿨링 생리대'가 신기하다. 생리대가 시원하다니, 누구든 여성분이면 한 번쯤은 써 보라고 추천해 주고 싶다. 더운 나라라서 그런가?

셋째 날

오늘은 대망의 유적지 관광이다.

하지만 우선 아침 조식을 맛있게 먹고, 아침부터 수영장에서 수영을 즐겼다. 야외 수영장에서 하는 수영은 오랜만이다. 자유형, 평형, 개헤엄. 물놀이는 혼자서도 괜찮다. 아침에 수영하고 하루를 시작하면, 허리도 편안하고 그날 하루 컨디션이 좋다. 그런데, 친구는 물이 무섭다고 한다. 첫날 같이 수영장에 왔는데, 벽을 붙잡고 움직이지 않아서 많이 무서워하는 걸 알았다. 그런데도 내가 좋아한다고 같이 와 준 것만 해도 고맙다. 그래서 친구를 괴롭히고 싶지 않아, 친구는 방에서 나는 수영장에서 조식 후 한두 시간 정도 개인 시간을 가지기로 했다.

혼자 수영하다가 썬 베드에 누워서, 호텔 앞으로 지나가는 강을 하염없이 보다 보면, 각 호텔에서 운영하는 전통 배가 지나간다. 강 건너

'아이콘 시함' 쇼핑몰로 운행하는 배다. 각 호텔의 이름이 배 지붕에 예쁘게 수놓아져 있어서, 구경하는 재미가 있다. 방콕의 중심을 흐르는 짜오프라야강이, 동양의 베니스라고 불릴 정도로, 강을 활용한 교통수단이 어느 도시보다 잘 발달 되어있다고 한다.

그래서인지 바닥이 닿지는 않을지 걱정되는, 엄청 깊고 긴 배를 끌고 다니는 작은 배, 번쩍번쩍 네온사인이 달려 밤마다 쿵작쿵작 요란한 라이브 음악과 함께 움직이는 유람선, 현지인과 관광객인 승객들을 싣고 지나가는 여객선도 그렇다. 우리나라 어디에서도 볼 수 없는, 실생활과 밀접한 강이 신기하기만 하다.

숙소의 수영장 안에서 보이는 경치는 반쯤 호텔이 감싸고 있고, 강쪽으로 열려있으며 조경이 잘된 나무로 호텔 방향이 적당히 잘 가려져 있어서, 안전한 숲 속에 있는 느낌이다. 태닝을 원하면 싫겠지만, 오전 중에는 건물의 그림자로 잘 가려져서, 타기 싫은 나 같은 사람들이 좋아할 시간이고, 11시가 넘어가면서 해가 들면, 태닝을 좋아하는 사람들의 시간이다. 물론 아침이라고 해도, 수영복만 입고도 춥거나 하지 않다.

수영장에서 호텔을 올려다보다가, 문득 우리 방의 위치가 궁금해서 카카오톡을 한다.

"창문으로 인사해 줘"

친구가 잠깐 나와서 인사해 준다. 친절한 친구 A이다. 귀찮은 일이 있어도 큰언니처럼 오냐 오냐, 해달라고 하는 건 거의 다 해준다.

천천히 올라갈 준비를 하다가, 강변에 관리는 잘 되어 보이지만, 닫혀있는 멋진 건물에 다가가 본다. 아! 저녁에만 운영하는 식당인 듯하다. 낮에 찻집으로 운영해도 좋을 듯하지만, 저녁에 강변의 테이블에 앉아서 음악과 함께, 식사와 술 한잔을 하는 것도 좋겠다. 이제 올라가서 유적지 관광을 가야 할 시간이다.

친구의 종교는 기독교다 모태신앙인데, 태국의 유적지는 불교 사원이다.

"괜찮아?"

하고 물어보니까, 역사적 유물을 보는 건데 뭐가 어떠냐고 한다. 하긴 나도 종교는 불교지만, 바르셀로나의 성가족 성당이나, 파리의 노트르담 사원에 갔었다.

개인 가이드와 함께하기로 예약했다. 기대된다. 어떤 분일까? 그분이 호텔까지 데리러 왔다. 택시 운전하시는 분인데 여행 관련 운행만 하신단다. 또 영어만 가능하시다 난 적당히 입 다물고 있어야겠다. 그런데 나의 텐션이 너무 높아져서 신나게 나와 친구 소개를 하니까. 본인은 '존' 이라며 정중하게 인사하신다. 게다가 내가 영어를 잘하는 줄 안다. 난 인사만 잘하는데, 심지어 역사 얘기를 영어로 듣다니, 속으로 '이번 소통은 망했다.'라고, 생각하며 한숨을 쉬었다.

존의 말로는 방콕이 수도가 되기 전 수도였던 지역을 가는 거란다. 출발하면서 1시간은 걸린다고 쉬고 있으란다. 말도 별로 없으시고, 조용히 경치를 보면서 간다. 불편할 수도 있겠다는 생각에 걱정이 된다. 바깥 풍경은, 길이 잘 닦인 왕복 4차선 시골길을 가는 것 같다. 가끔 태국 전통 건물처럼 생긴 높고, 멋진 건물이 보이는데 관청이란다.

길가에는 쇼핑센터들이 있는데 고속도로 휴게소인 듯하다. 없는 게 없다. 맥도날드 버거킹 등등 배가 고팠었나? 왜 음식점들 이름만 기억이 나는지 ……

어쨌든 첫 장소에 도착했다. 너무너무 더운 날이다. 우산을 준비하고 나가려는데, 잠시 앉아 있으라며 영어로 장소에 관해서 설명해 주신다. 이해하지 못하는 듯하니 파파고가 등장했다. 한국 관광객들을 많이 겪으신 듯하다. 그리고는 카카오 톡으로, 역사 얘기를 복사해서 보내주신다. 현명하시다. 우리가 간 곳은 아유 타야 유적지이다. 417년 전까지 태국의 수도였다, 세 개의 강이 지나가는 삼각지 위의 섬이었다고 한다. 남아시아의 해상 무역도시였다. 부유한 이 나라가 부러웠던 다른 나라가 침략했고, 9개월 동안 항전했지만, 배신자들 때문에 함락 되었다. 잘 발달하여 있던 이곳을 침략자들이 불태우고, 금은보화를 다 가지고 가서, 결국 수도를 옮기게 되었다고 한다. 워낙 오래된 불교 국가였기 때문에, 사찰과 부처님 조각 상들이 아직 많이 남아 있다고 한다.

우선 절에 도착해서 들어갔는데, 존에게 태국에서는 부처님께 절하는 방법이 어떤지 궁금하다고 하니까. 우리나라에서 하는 대로 해도 된다고 하면서 조금 놀라워했다. 사찰에 꽃과 향을 사서 올리고 싶다고 하니까. 꽃도 골라주고 어떻게 해야 하는지 상세히 알려준다. 무릎을 꿇은 상태로 양손을 펴 모아서 코 아래에 대고, 세 번 반절 인사를 하면 된다고 한다. 내가 제대로 이해한 거겠지? 그리고 친구와 근처를 구경하면서 기다려 준다. 태국 부처님께 인사를 드리고 나와서, 존과 친구에게 간다.

더운 건 알고 있어서 손 선풍기와 양산을 준비했는데, 첫날 한국과 같은 더위라고 했던 거 취소다. 너무 덥다. 진짜 사우나에 온 듯하다. 나는 변온동물과 반대로 같아서, 여름에는 몸도 손도 좀 시원하고 겨울에는 따뜻해지는데, 더위를 잘 안 타는 나도 너무 덥다. 그러니 더위를 많이 타는 친구는 얼굴이 벌게 져서 어쩔 줄 몰라 한다.

존이 여기부터 활약하기 시작하는데, 더위 많이 타는 친구는 이동 거리를 줄이고, 좀 덜 더워하는 내가 여기저기를 다니니까. 내가 여기저기 다녀오는 동안 커다란 선풍기 앞에 친구를 데려다 놓는다. 오층 높이의 계단이 있는 탑에 올라가 보고 싶어 하니까, 친구와 기다린다고 천천히 다녀오란다. 그리고 사진과 영상을 부지런히 찍어준다. 한국 사람들이 좋아하는 인증사진!! 감사히 포즈를 취했지만, 사진을 얼마나 잘 찍겠나 싶어서, 친구와 가끔 따로 찍기도 하고, 영상도 남겼다.

친구와 나의 다른 점 또 한 가지, 난 사진은 신경 써서 잘 찍는 게 좋다. 나든 다른 사람이든 한 번에 여러 장을 찍고 여러 각도에서 찍어서, 그 사람이 좋아할 만한 사진을 찾는다.

친구는 증거만 남기면 된다며 한 장이면 족하단다. 하지만 내가 좋아하는 걸 아니까 여러 장 찍어준다.

하지만 너무 덥다. 만사 귀찮게 덥다. 존이 가자는 대로 부지런히 가서 열심히 사진 찍고, 차로 부지런히 돌아왔다. 오자마자 시동 걸고 에어컨부터 켜더니 airdrop으로 사진을 바로 보내준다. 난 오늘 더 이상 사진을 찍지 않을 테다. 사진을 너무 잘 찍는다. 아무래도 사진을 잘 찍어서 가이드가 된 듯하다. 늘씬하고 예쁜 사람으로 찍어 놨다. (사진이 궁금하시거든 태국 갈 때 연락해 주세요. 존 연결해 드릴게요.)

두 번째 장소로 이동하기 전에 점심을 먹으러 간다. 강변에 있는 외국인들이 많이 오는 야외식당이다. 20여 분 이동해서 밥을 먹으러 갔다. 백인들에게 유명한 집인가 보다. 백인들이 많다. 강이 잘 보이는 좋은 자리를 마다하고, 에어컨이 있는 안쪽의 실내로 이동한다. 너무 더워서 선택권이 없다. 그곳에는 손님이 우리만 있다. 메뉴를 시킨다. 어제저녁까지 잘 먹어서 입맛은 없지만, 뭐든 먹겠다며 어제 먹은 팟타이, 솜땀, 뿌팟퐁커리(꽃게 카레 볶음)를 시켰다. 너무 많다. 일하시는 분이 뭐라고 하셨는데 예상컨대

"너무 많다" 또는 "밥은 안 먹어?"

였던 것 같긴 한데, 못 알아듣고 결국 밥도 없이 카레를 먹었다. 너무 더워서 입맛도 없어서 먹는 둥 마는 둥 콜라만 벌컥벌컥 마시고는, 태국 전통 옷 체험을 하러 간다.

'왓 차이왓타나람'(아유타야 4대 왕이 어머님을 추모하기 위해 만든 사원으로 일몰 장소)을 태국 전통 복장을 하고 구경하기로 한다. 아뿔싸. 어깨 한쪽이 완전히 노출되는 옷차림이다. 여름에도 짧은 반소매도 안 입는 친구가 기겁한다. 나 때문에 참고 하겠다고 한 건데 이건 생각지 못했다. 게다가 한복보다 더 덥다. 그래도 전통 복장은 예쁘고 들어가는데 제한이 없어서 좋다. 아유타야는 유명한 유적이어서 그런

지 불교사원이어서 그런지, 슬리퍼 반바지 등등 안 되는 것이 많다.

우리의 가이드에서 사진사로 전향한 듯한, 존은 사원이 가장 예쁘게 보이는 카페 앞에서 포즈를 취하게 한다. 한 장이라도 예쁜 사진을 건지게 해주려는 거다. 근데 친구는 너무 불편해한다. 카페 손님들이 다 쳐다보는 위치다. 나 때문에 안 한다는 소리도 못 하고, 결국 사진을 찍고 있는데 점점 힘들어하는 게 보인다. 결국 사원에 들어가지도 못하고, 옷을 갈아입자고 대여점으로 다시 들어갔다.

존은 옷 가게 안에서라도 옷 입은 보람을 찾게 해주겠다며, 예술의 열정을 보이면서 사진을 찍었고, 우리는 결국 사진을 다 찍고, 옷을 갈아입었다. 존 말로는 보통 한두 시간은 입는단다. 여섯 시간을 입고 있던 사람이 가장 길게 입었고, 우리가 가장 짧은 시간을 입었단다. 20분…… 하하하. 그래도, 벗고 나니 얼마나 시원하던지, 이 더위에는 다시 입고 싶지 않았다. (다음에 기회가 되면 또 입고 찍지 뭐.)

결국 우리는 근처에 시원한 카페에 가고 싶다고 했다. 친구가 더는 못 버틸 것 같았다. 그러면 요즘 핫 한 카페에 가잔 다. 진짜 핫 하다. 한국에도 없을 멋진 카페에 데리고 간다. 태국에서 가장 유명한 카페 중 하나란다. 음료를 시키고 존과 함께 대화를 하는데, 한국 사람의 습관 같은 나이 얘기가 나왔다. 존의 나이는 우리보다 한 살 아래, 우리는 친구라며 같이 수다 삼매경이다. 톡을 확인하더니 아까 사원에서 만난 자기 회사 사장님 얘기를 하면서 싱글이면 만나볼래? 란다. 사원에서 부처님과 사진을 어떻게 찍는지 궁금해하는데 나타난 존의 사장님, 자세를 가르쳐 주더니 같은 자세로 옆에 앉아 존에게 사진 찍으란다. 존이 벌레가 꼬였다면서 쫓아내고, 사진을 찍어줬었다. 그때 농담 따먹기 하면서 즐거워하더니 사장님을 놀리고 싶었나 보다. 자기가 얘기하면 안 믿는다고 동영상으로 거절 메시지를 촬영해 주란다. 자기가 사장한테 보낸단다.

뻥 차달라며 도도한 척 "고맙지만 괜찮아!!" 발 연기를 하는 영상을 만들고, 자기 보스한테 보낸다. 깔깔깔! 존이 너무 즐거워한다.

존은 내가 사진 찍는 것을 좋아한다는 것을 금방 알아챘다. 카페에서도 사진 찍어준다고 여기저기서 포즈를 취하게 하더니, 늦지 않게 '왓 마하탓'으로 가잔 다.

아유타야에 온 큰 이유 중의 하나다. 아유타야에서 가장 오래되고 가장 유명한 사원으로, 꼭 봐야 하는 곳은 "보리수나무 불두 상"이다. 과거 언젠가 목이 떨어져 버린 불두 상이, 어린 보리수나무 틈으로 떨어지고, 세월이 흘러 그 나무가 불두 상을 보호하면서 자라있는 모습으로 유명하다.

블랙핑크의 리사가 태국 출신인데, 아유타야에 와서 사진 찍은 장소가 있어서, 사원도 보고 사진도 찍어야 한다며 줄을 서란다.

'리사라니!!'

내가 거기서 같은 포즈로 사진을 찍는다고? 아이고, 태국의 국민 아이돌인 리사가 자랑스러운 존은 사진까지 보여주면서 같은 포즈를 하란다. 눈앞이 캄캄하다. 그래 사진 받고 그냥 가지고 있으면 되지 뭐! 뻔뻔하게 찍는다. 어디 올리지만 않으면 될 테다.

사진을 찍고 안쪽으로 걸어 들어가다 보니, 해가 땅에 점점 가까워진다. 길어지는 그림자로 사원의 모습이 더욱 웅장하고 멋있게 보인다. 흙 벽돌로 하나하나 쌓았던 크고 장엄한 사원은, 세월의 풍파를 온몸으로 받아내고 있었다. 아주 천천히 자연으로 돌아가는 것 같았다. 여기 나와 유적지를 돌아보는 다른 사람들이 모두 먼지가 돼서 사라져도, 이후로 몇 백 년 동안 천천히 풍화되어 사라질 이곳을 유심히 살펴본다.

옛 사원이어서 과거 모습을 추측할 수 없어 아쉬웠는데, 존 말로는 온전히 보관된 부장품들이 나와서 박물관에 보관 중이란다. 후세의 사람들이, 그들의 역사를 실물로 볼 수 있는 자료가 남아서 정말 다행이다 싶었다. 한참 고즈넉한 이곳을 돌아보고 있는데, 존이 빨리 오란다. 해넘이를 보기 위해 배를 타러 가야 한단다. 갑자기 급해진다.

차로 다시 20분을 이동해서 선착장에 도착했다. 우리 둘을 태운 배가 천천히 이동한다. 존은 우리가 도착하는 곳에 차를 대고 기다린단다. 처음 뱃길은 양쪽에 사람이 살고 있는 현대 태국의 집들이다. 천천히 우리가 밥을 먹은 식당을 지나고, 차를 마시던 카페를 강 쪽에서 쳐다보면서, 내려가는데 별로 특별함이 없다. 단지 배로 이동하면서 시원하기는 하다. 그게 다다. 그 와중에 배들도 신호등이 있나 보다, 갑자기 배가 멈추더니 신호를 기다린다. 강 위에서 교통 혼잡을 느끼다니 그건 신기하다.

그 장소를 지나자마자 천천히 등장한 곳, 갑자기 현실에서 이동해서, 과거 혹은 미지의 곳에 떨어진 것 같았다. 온전한 해넘이보다는 중간중간 기다란 구름이 있는 모습이었는데, 오히려 현실적 이지가 않다. 게다가 배에서 사원만 온전히 보인다. 현대적인 부분은 전혀 보이지 않는 거다. 해가 지는 배경으로 보이는 사원은 아까 '왓 마하 탓'과는 다른 다정함이 느껴졌다. 곡선의 아름다움 정말 예쁘다는 표현이 어울리는 사원이었다. 흙 벽돌로 지어진 비슷한 사원인데도 "예쁘다"는 감탄사가 절로 나왔다.

'왓 차이왓타나람' 일몰이 예쁘다는 그 사원이었다.

배 위에서는 선장님이 사진을 찍어주고, 사원 방향에서는 존이 사진을 찍어준다. 천천히 존이 기다리는 곳에 배를 대주신다. 존이 또 갑자기 급하다. 유적지라서 밤에는 입장 금지란다. 최대한 빨리 사진을 찍고 나가야 한다며 여기저길 몰아댄다. 관리인분이 오셔서 이제는 나가야 한다고 하는 것 같은데, 존이 싹싹하게 굴면서 여기저기 세워서 사진을 찍어주더니, 사진으로 이곳을 보라고 한다. 아까 못 보고 왔던 게 안타까웠나 보다. 우리는 정확하게 퇴장 시간 1분전에 나왔다.

아까 전에 전통 옷을 입고 사진을 찍던, 카페 근처에 주차된 택시에 탔는데, 출발을 안 한다. 우리는 이유도 모르고 같이 20분쯤 앉아 있었다.

"존 왜 출발을 안 해?"

여기는 밤에 바깥에서 비추는 조명으로 멋진 사진을 찍을 수 있는 곳이란다. 해가 지고 어두워지면 사진 찍고 가자며 사진을 보여주는데, '예쁘다.' 예쁘지만, 우리의 체력은 바닥났다. 호텔로 가고 싶다고 했다. 침대가 그리웠다. 일할 때 보다 더 고되다 숙소로 돌아갈 시간이다.

존이 아까 찍었던 사진을 보내준다. 세상 어느 남친보다 낫다. 여기 저기 소문 내고 다녀야겠다. 사진을 보고 나니 없던 기운이 생겼으면 좋으련만, 방콕으로 돌아가는 한 시간 동안 택시에서 열심히 도 잤다.

국내 여행에서는 항상 운전하던 나였는데, 남이 해주는 차는 진짜 편하다. 내가 뒷자리에서 곤히 자는 동안 친구가 존의 좋은 길동무가 되어주었다.

하루 종일 즐겁게 해주고, 사진 찍어주고, 역사 얘기해주고, 숙소에 안전하게 잘 내려준 존에게 감사의 마음을 팁으로 대신했다. 존이 좋아해 줘서 다행이다.

"고마웠어요 존"

차에서 내려서 홀가분하게 바에서 술을 한잔하자고 했지만, 너무 피곤했던 우리는 맥주와 안주를 사서 숙소에서 먹기로 했다.

마지막 밤이다. 일할 때 보다 더 바쁘고 힘들다. 그렇지만 즐거웠다. 항상 운전을 하느라 친구와 술 먹기가 쉽지 않은 나는, 그날에서야 첫날부터 하고 싶던 술과 함께하는 대화를 나누었다. 회사 얘기, 가족 얘기, 모든 직장에는 막장 드라마에서나 나올듯한 이상한 사람들이 항상 있다. 이래저래 심각한 얘기 중이었는데, 존에게서 온 마지막 동영상과 사진에 빵 터졌다. 동영상은 너무 좋았다. 사진이 문제였다. 리사 사진과 내 사진을 나란히 붙여 놓은 사진이 올라온 거다. 하하하!

웃어야지 웃는 사람이 승리자다. 어디도 내놓을 수 없는 사진, 나만 볼 수 있는 거다. 남이 안 보면 뭐 괜찮은 것 같다. 일부러 드라마 촬영 장소에 가서 사진도 찍는다 던데…… 뭐 그런 거지. 마지막까지 즐거움을 준 존에게 감사하다.

마지막 날이 밝았다.

오늘은 친구와 합의했다. 아이콘 시암에서 놀다가, 마사지를 받고 차를 불러서, 공항 가서 저녁을 먹기로 했다.

조식을 야무지게 챙겨 먹고, 수영도 하고 조금 일찍 올라가서 짐을 싼다. 숙소에 짐을 맡겨 놓았다가 공항 갈 때 숙소에서 출발하기로 한다. 11:30분 호텔에서 운영하는 배를 타고 '아이콘 시암'이라는 쇼핑몰을 간다. 명품부터 야시장까지 한 건물에 있는, 백화점 같은 덴가 보다. 지하에 야시장이 있는데 맛있는 음식을 먹을 수 있단다. 그러나 도착하자마자 처음에 말했던, 핸드폰 분실을 깨닫고, 12:40분 배로 바로 호텔로 돌아왔다.

다행히 잘 찾은 핸드폰을 들고 다시 가자고 했는데, 배가 3:30분에 출발한단다. 결단을 내리기로 했다. 친구가 가고 싶다던 다른 쇼핑센터에 가기로 한 거다.

덕분에 방콕의 지상철을 타게 됐다. 핸드폰 분실을 겪은 친구를 내가 데리고 다니겠다고 했다. 항상 한국에서는 친구가 찾아놓은 데를 가게 돼서, 나 때문에 부담을 느꼈나 반성하게 되었다.

내가 먼저 나서서 하는 건 처음이었는데, 지도 보고 길을 잘 찾는 내가, 친구는 신기했나 보다.

혼자 여행했던 바르셀로나와 파리에서도, 지도 보면서 혼자서도 잘 놀던 나였지만, 항상 여행을 하면 각자 하는 부분이 있다가 보니, 친구는 처음 보게 된 이번 나의 모습이 신기했던 듯하다. 건물에 들어서서는 지도보다는 사람에게 가서 그냥 물어보는 내가 또 신기해 보였던 듯하다. 쇼핑센터에서 친구가 사고 싶어 했던 '마담헹 비누'를 사고, 나오는 길에 느낌표가 그려져 있는 커피를 한잔했다. 친구 말로는 일본에서 라테로 유명한 커피라며, 내가 라테를 좋아해서 꼭 먹어보게 해주고 싶었단다.

'고마워 친구야 덕분에 또 맛난 라테를 먹어봤네'

호텔로 돌아왔다. 공항으로 향하는 차를 호텔로 예약했다. 한 시간이 남았구먼 다행이다.

출국 전 부산함을 없애고, 차분하게 생각을 정리하려고 라운지에 앉아서 차 한 잔을 시켰다. 오늘도 고생한 친구에게도 차를 한잔 사고 싶었다. 호텔 이름과 같은 샹-그릴라 차였는데, 이번 여행에서 친구에게 고마운 것이 많다. 핸드폰 사건도 그렇다. 한 번도 물건을 잃어버린 적 없는 친구였는데, 나 챙기랴 영어로 사람들이랑 대화하랴 고생이 많았다.

이번 여행에 동행한 친구는 제주도도 같이 자주 가고, 국내 여행을 같이 자주 했던 친구다. 그런데, 잘 안다고 생각했던 친구는 해외에서 나와는 달랐다. 난 호텔 수영장을 사랑하고, 호텔 근처에서 카페나 밥집 다니는 것을 좋아하지만, 친구는 쇼핑센터가 근처에 있는 교통이 좋은 호텔을 좋아하고, 좋은 물건을 저렴하게 사는 것을 좋아하고, 관광을 좋아하는 거다. 그렇다면 이런 차이점으로, 내가 즐겁지 않은 여행을 했나? 라면 그건 아니었다. 20년 지기 오랜 친구인 그녀와 나는 서로를 생각했다. 이런 거 좋아하겠지, 이런 거 같이 하면 좋아할 거야. 친구와 같이 해외여행을 가서, 척진다는 사람들의 얘기를 들으면서, 출발 전 나도 그러면 어쩌지 하는 생각을 했었다. 돌이켜보면 여행을 갈 때, 이번이 처음이자 마지막 여행인 것처럼 가는 여행은, 가서 하고 싶은 게 많은 거였을 거다. 나도 내가 어렸다면 그렇게 욕심내지 않았을까 싶다.

2014년 처음으로 하는 혼자 여행을 유럽으로 갔다. 보고 싶고 하고 싶은 게 너무 많은데, 친구랑 가면 다 못해서 아쉬울 것 같은 거다. 바르셀로나의 가우디 건축물들이 제대로 보고 싶었고, 파리의 루브르 박물관, 오랑주리에 미술관, 오르세 미술관의 전시 작품들을 천천히 시간 내서 보고 싶었다. 노트르담 사원과 에펠 탑 현지 사람들만 가는 저렴한 현지 맛, 집들 혼자 하는 여행을 유럽으로 다녀온 건 잘한 것 같다. 다만 그 감동을 함께 느낄 사람이 없어서 참 많이 외롭기도 했다.

그 이후로는 내가 하고 싶은 걸 다 하는 혼자 여행보다는 양보하고 같이하는 여행이 더 즐겁다. 모든 여행은 이번에 가서 못하면 다음에 와서 해봐야지, 라는 여유로운 생각을 가지고 가야 하는 것 같다. 그래야 서로를 더 지켜보게 되고, 나만 행복한 여행이 아니라 내 친구가 행복한 여행도 하게 되는 것 같다. 이번 여행에서는 친구의 배려가 나를 아주 행복하게 해주었다. 다음 여행에서는 친구를 행복하게 하는 여행을 해야겠다.

생각을 정리하다 보니, 문득 이번 여행에서는 호텔 라운지에 앉아 있을 시간도 없었다는 게 떠올랐다. 아쉽다. 항상 여행은 오기 전에는 바쁘고 힘들어서, 도착하면 아무것도 안 하고 쉬어야지, 하면서도 어디든 도착하기만 하면, 다시는 안 올 것처럼 바쁘게 다니느라, 숙소는 잠만 자는 곳이 된다. 그래도 아침 먹고 수영장에서 놀고 산책도 하고, 여기저기 다니면서 로비 미술품들도 관람하고, 라운지에서 들리는 라이브 음악도 들으면서 머무는 시간이 조금 있었지만, 항상 돌아갈 때가 되면 아쉽다. 머무는 동안 고마웠어. 안락하고 편안한 집에 되어주어 고마워. 다음에 기회가 되면 또 보자.

호텔에 인사하고 도어맨의 배웅을 받으며 공항으로 향했다.

공항에 도착한 친구와 나는 저녁을 먹기로 했다. 밤 비행기라서 저녁은 필수다. 나는 쌀 국수가 친구는 햄버거가 먹고 싶었다. 우리는 밥을 먹고 만나자며 서로 다른 식당에서 밥을 먹었다. 생각보다 이상하지 않다. 다음 여행에서는 같이 또 따로 하는 여행도 생각해 볼 수 있겠다. 저녁을 먹고 밤 비행기를 기다린다.

이렇게 '나의 여름휴가가 끝이 났다.'

그런데, 왜 다시 어디론가 여행을 가기 위한 출발을 기다리는 기분일까.

어중간해도 특별한

정오

정 오   완벽하지 않은 이들의 이야기를 사랑합니다. 소설과 영화, 만화를 좋
아합니다. 대학에서 독일 문학을 전공했지만, 독일 문학에 관해서 아
는 것은 많이 없습니다. 하지만 독일 교환학생 시절 이방인의 삶을 체
험하며 세상을 보는 시야가 넓어졌습니다. '책 쓰기 프로젝트'를 계기
로 처음 소설을 써 보았고, 앞으로도 계속 쓰고 싶습니다.

꿈과 희망이 가득한 드림비치, 너와 영원히 함께할 드림비치

라이프가드들이 휴게실 문을 드나들 때마다 워터파크 테마송이 비집고 들어왔다. 교대근무를 마친 민정은 문에서 가장 멀리 떨어진 구석에 자리를 잡았다. 대부분이 20대 초반의 대학생인 라이프가드들은 휴식 시간이면 주로 이곳에 모여 수다를 떨거나, 블루투스 이어폰을 끼고 인스타그램 피드를 확인했다. 오늘은 신입 라이프가드 교육이 있는 날이어서 휴게실이 평소보다 더 북적였다.

"최민정, 너 이렇게밖에 못해?"

민정의 귓가에는 지희 선배의 호통이 계속 맴돌고 있었다. 모의 구조 훈련이 시작되었다는 무전을 받은 민정이 허겁지겁 유아풀로 돌아갔을 땐 이미 훈련이 모두 종료된 후였다. 지희 선배는 한 손에 물이 뚝뚝 떨어지는 마네킹을 들고 달려오는 민정을 한심하다는 듯이 노려보았다. 주호에게 자리를 맡겼던 그 찰나의 순간에 벌어진 일이었다. 머릿속이 복잡해진 민정은 굳은 얼굴로 반쯤 마신 커피 캔을 만지작거렸다. 모든 것이 입사 2일 차에 불과한 주호를 지나치게 믿었던 자신의 잘못이라는 생각에 한숨이 나오는 민정이었다.

"저, 강사님 휴식 시간에는 휴대폰 사용해도 되나요?"

옆자리에서 민정의 표정을 살피던 신입 라이프가드 주호가 물었다.

"아 네, 근무 중에만 사용 안 하면 돼요."

"네, 근데 아까 지희 강사님이 말씀하신 건 어떤 훈련이에요? 저는 배운 적 없어서요."

주호의 질문에 민정은 울컥하는 감정을 애써 가다듬으며 모의 구조 훈련에 관해 설명했다. 일명 VAT라고 불리는 이 훈련은 물에 떠 있는 유아 마네킹을 5분 안에 발견 및 구조, 응급처치까지 완료하는 일종의 불시 안전 테스트다. 언제, 어디서 마네킹을 흘려보낼지는 훈련이 시작되기 전까지 당최 알 길이 없다. 운이 나빠서 VAT 훈련에 당첨된 라이프가드는 성공해야 본전, 실패하면 조금 전 민정처럼 공개 망신을 당하는 거다.

주호의 배운 적이 없다는 말은 마네킹을 보고도 아무런 조처를 하지 않았던 것에 대한 자신의 무고를 주장하는 것처럼 들렸다. 틀린 말은 아니지만 민정은 조금 억울하다고 생각했다. 물품보관소를 찾는 손님을 안내하느라 그에게 잠시 자리를 맡겼는데, 하필 그때 훈련이 시작됐기 때문이다. 정말로 물품보관소만 갔다 와서 바로 교육할 계획이었다. 구구절절 변명하고 싶은 마음을 침과 함께 억지로 삼키는 민정이었다.

올해 5월에 오픈한 드림비치는 첫 기수인 민정이 입사한 후, 한 달 간격으로 라이프가드를 두 번 더 뽑았다. 예상보다 방문객이 많아서 여름 성수기를 대비하려면 라이프가드 수를 3배로 늘려야 했기 때문이다. 입사 3개월 차에 불과한 민정과 동기들도 신입 교육에 대거 투입됐다.

처음 성진시에 워터파크가 생긴다는 보도가 나왔을 때, 사람들이 이렇게까지 몰릴 거라고는 아무도 예상하지 못했다. 성진에서 나고 자란 민정도 마찬가지였다. 서울에서 기차로는 한 시간, 차로는 두 시간 거리에 위치한 성진시는 서울 사람들이 오기에는 애매하게 멀고, 주변 지역민을 모으기에는 서울과 경쟁이 되지 않았다. 뉴스를 보던 민정의 아버지는 성진을 관광도시로 만들겠다던 새 시장이 가망 없는 사업을 무리해서 진행하는 거라고 했다.

"이제 10시 55분이라 다시 근무 들어갈게요. 이번엔 야외 유수풀 구역 돌 거예요."

민정의 말에 주호가 벌떡 일어났다. 그 모습을 보며 민정은 그가 눈치는 없지만 열심히는 해서 다행이라고 생각했다. 유수풀로 이동하는 와중에도 민정은 계속 근무 지침에 관해 설명했다. 주호는 한 마디도 놓치지 않기 위해 민정이 있는 쪽으로 고개를 기울인 채 따라 걸었다.

"30분씩 세 구역에서 근무하고 다시 30분 휴식하는 거예요. 점심 시간이 따로 없어서 30분 휴식 시간에 알아서 챙겨 먹어야 해요. 혹시 이외에 궁금한 거 있으세요?"

"저 그냥 개인적으로 궁금한 게 있는데요."

"네 말씀하세요."

"전에 수영 선수였다고 들었는데, 사실이에요?"

사실이냐는 말이 약간 거슬렸지만, 민정은 그렇다고 답했다. 그러자 왜 수영을 그만두었냐는 질문이 돌아왔다. 이번에는 어색한 미소로 오늘 처음 만난 사람에게 그런 개인사를 공유하기 싫다는 말을 대신했다. 그러면서 자신은 수영 선수를 그만둔 것보다 수영 선수가 되지 못한 것에 가깝지 않나 잠시 고민했다. 사실 선수 시절에도 지역 구청장배 수영대회에서 몇 번 순위권에 든 것을 제외하면 이렇다 할 실적을 내지 못한 민정이었다.

민정이 중학교 3학년이 되던 해 아버지는 수영은 취미로만 하는 게 어떻겠냐고 했다. 나중에 자기소개서 성장배경 문항에 쓸 소재는 될 거라며 투자한 시간 대비 나쁘지 않은 성과라고 했다. 당시에 민정은 그 말의 의미를 정확히 알지 못했다. 고등학교에 진학하고 나서야 취미생활은 본업을 마친 후에만 누릴 수 있는 것임을 깨달았다. 그런데 대한민국 고등학생의 본업이란 대학에 합격하는 순간에야 종료되는 것이었다.

부우우. 파도를 예고하는 뱃고동 소리가 울렸다. 콰르르 소리를 내며 파도가 들이치자, 유수풀에 있던 사람들이 까르르 웃었다. 파도가 치는 유수풀은 드림비치에서 최고로 인기 있는 풀장이다. 거대했던 파도는 풀장 삼분의 이 지점에 이르자, 온몸에 힘을 빼고 떠 있어도 될 정도로 잦아들었다. 하지만 라이프가드는 이런 구간일수록 더욱 집중

해야 한다. 파도를 더 타기 위해 제자리에 머무르거나 거슬러 올라가는 사람들이 있기 때문이다. 자칫 밀집도가 높아지면 서로 부딪히며 사고가 날 수 있다.

휘익. 민정이 호루라기를 불었다.

"앞으로 가세요, 앞으로"

민정의 말에 한 무리의 20대 남성들이 거슬러 올라가던 것을 멈췄다. 머리가 짧은 것을 보니 휴가를 나온 군인들 같았다.

"주호 님은 스무 살이면 곧 군대 가겠네요?"

유수풀 근무를 마치고 다이빙풀로 이동하며 민정이 물었다.

"네, 10월이요. 그런 슬픈 얘기를 아무렇지 않게 하시다니."

주호가 입꼬리를 죽 늘어뜨리며 장난스럽게 답했다. 그 모습에 온종일 무표정이던 민정의 얼굴에도 미소가 번졌다.

"10월이면 얼마 안 남았는데 여기 왔네요? 아, 두 달만 일하고 바로 여행 가려고?"

"아뇨. 여행은 못 가고 계속 일하다가 입대할 것 같아요. 저희 형이 몸이 좀 아파서 제가 돈이 필요하거든요."

씁쓸한 대답에 민정은 얼른 입가에 띤 미소를 거두었다. 주호를 보며 민정은 지희 선배를 떠올렸다. 17살 때까지 수영 선수였던 지희 선배는 동생이 루게릭병을 진단받으며 가세가 기울자, 수영을 포기하고 돈을 벌게 되었다고 했다.

"라이프가드도 그렇게 시작하게 된 거지 뭐. 돈은 벌어야 하는데, 내가 잘하는 건 수영밖에 없었으니까."

라이프가드 1기 환영식에서 지희 선배가 했던 말이다. 선배는 서울의 대형 워터파크에서 스카우트되어 이곳 드림비치에 왔다. 그곳에서도 계약직 라이프가드로 시작해서 정규직이 된 유일한 사례라고 했다. 환영식에 껴 있던 본부장은 열심히 하면 지희 선배처럼 꿈을 이룰 수 있다며 라이프가드들을 독려했다. 고개를 끄덕이며 경청하는 동기들 사이에서 민정의 시선은 지희 선배에게 고정되어 있었다.

처음에는 지희 선배가 자신처럼 선수 출신에 성진시가 고향이라고 해서 관심이 갔다. 어쩌면 그녀가 자신과 비슷한 부류일지도 모르겠다고 짐작했던 민정이었다. 근무지에서 처음 만난 지희 선배는 깔끔한 유니폼 차림에 얼굴에는 선크림만 바른 수수한 모습이었다. 하지만 퇴근 후 환영식에서 선배는 아이라인을 길게 그리고 나타났다. 커다란 눈에 꼬리가 살짝 올라간 아이라인이 더해지자, 식당 조명 아래에서 선배의 눈은 마치 고양이의 그것처럼 반짝였다. 지희 선배는 검은색 티셔츠에 카고 바지를 입고 있었는데, 그에 어울리는 반지나 목걸이는 보이지 않았다. 라이프가드에게 근무 중 액세서리 착용은 금지 사항이지만, 근무 외 시간에는 착용해도 상관이 없었다.

"강사님 기수에는 다이빙풀 테스트 몇 명이나 통과했어요?"

미안해하는 민정의 표정을 읽었는지, 주호가 화제를 돌렸다.

"저희 기수는 남자 세 명에 여자는 저 한 명이었어요."

"저희는 남자만 네 명이었어요. 저도 중간에 무게추 떨어뜨릴 뻔했는데 겨우 잡았잖아요."

두 사람의 근무 구역 중 하나인 다이빙풀은 라이프가드 중에서도 별도의 테스트를 통과한 사람만이 맡을 수 있는 곳이었다. 5킬로그램에 육박한 무게추를 다이빙풀 바닥에서 건져 올린 후, 수면에서 2분간 꼿꼿이 선 입영 자세를 유지하는 시험이었다. 민정이 여자 라이프가드 중 유일하게 다이빙풀 테스트를 통과하면서 지희 선배는 그녀에게 무한한 신뢰를 보이기 시작했다. 민정을 동기 대표로 선발한 사람도 선배였다. 갑자기 생리 휴무를 요청했던 날에도 업무 강도가 높은 구역을 전담하느라 고생한다며 바로 승인해 주었다. 그 때문에 선수 출신만 특별대우한다는 소문이 돌았지만, 민정은 굳이 반박하지 않았다. 그저 속으로 워터파크에서 선수 출신 라이프가드를 우대하는 것은 기업에서 상위권 대학 졸업생을 선호하는 것과 마찬가지라고 생각할 뿐이었다.

"그럼, 강사님도 드리머에 지원하시겠네요?"

"드리머요?"

"모르셨어요? 드림비치 유튜브 채널 오픈한다고, 라이프가드 중에서 출연자 뽑는다고 하던데요."

민정은 석 달 전 환영식에서 본부장이 했던 말을 어렴풋이 떠올렸다. 드림비치는 마스코트가 라이프가드 캐릭터인 만큼, 라이프가드를 브랜드 전면에 내세워 홍보할 거라고 했다. 그때 '유튜브'와 '드리머'라는 단어도 함께 들은 것 같았다.

"주호 님은요? 관심 없으세요?"

"저야 곧 군대 가니까요. 모집 공고에 '수영 선수 우대'라고 쓰여 있길래 민정 강사님은 지원하실 줄 알았어요. 지희 강사님이랑 같이 메인 MC 할 사람 뽑는 거래요."

지희 선배의 이름이 나오자, 민정은 목걸이에 달린 노란색 미니 구명 튜브를 만지작거렸다. 선배가 직접 달아준 것이었다. 노란색 구명 튜브는 이곳 드림비치에선 일종의 훈장이나 다름이 없었다. 드림비치에 입사한 모든 라이프가드가 빨간색 구명 튜브를 지급받지만, 특별히 고객의 칭찬 제보가 접수된 라이프가드만이 노란 구명 튜브를 받는 시스템이었다. 민정이 유수풀에서 물에 빠진 어린이 손님을 구하면서 노란색 미니 구명 튜브를 단 첫 번째 라이프가드가 되었다. 그날 저녁 지희 선배는 민정에게 치킨을 사주며 너 같은 동생이 옆에 있어 든든하다고 말했다. 다음날 동생 기일로 연차를 낸 지희 선배는 맥주를 두 캔이나 마신 상태였다. 민정은 그 말이 선배의 진심이라고 믿었다.

주호는 다이빙풀에서도 가르쳐주는 대로 곧잘 따라 했다. 구명조끼를 벗어달라는 안내와 자세 설명도 처음 치고는 자연스러웠다. 무엇보다 허우적거리는 손님을 발견하자, 민정과 거의 비슷한 속도로 풀장에 뛰어들었다. 그런 주호를 보며 라이프가드에게 가장 중요한 덕목은 위급상황에 주저함이 없는 것이라던 지희 선배의 말을 떠올리는 민정이었다.

휴식 전 마지막 근무 구역으로 이동하는 길목에는 드리머 모집 포스터가 걸려 있었다. 포스터 왼쪽에는 환하게 웃으며 한 손을 내미는 지희 선배의 사진도 있었다.

모집 대상: 드림비치 라이프가드 (수영 선수 출신 우대)
지원 방법: 3분 이내의 자기소개 영상을 이메일로 제출

'수영 선수 출신 우대'라는 내용은 어쩌면 지희 선배가 제안한 것은 아닐까, 민정은 생각했다. 선배는 민정이 수영을 그만둔 것을 항상 아쉬워했다. 마감 후 둘이 몰래 다이빙풀에서 놀던 밤에도 그랬다.

"너는 다이빙도 잘하면서 선수 왜 그만뒀어"

일부러 우스운 자세로 뛰어들어도, 선배는 민정의 다이빙 실력에 감탄했다. 기분이 좋아진 민정은 자기 친구가 다이빙 국가대표라며 너스레를 떨었다. 사실 민정은 선수 시절 친구들과 연락이 끊긴 지 오래였다. 하지만 유튜브로 각종 수영 대회 영상을 챙겨보면서 예전 친구들의 활약을 자연스레 확인하게 되는 것이었다. 그런 민정에게 지희 선배는 참 속도 좋다며 괜히 물을 튀기곤 했다.

항상 빠른 걸음으로 이동하던 민정이 포스터 앞을 떠나지 못하자 주호가 입술을 뗐다.

"지원해 보세요. 제가 도와드릴게요."

"주호 님이요?"

"네, 저 디지털콘텐츠학과 전공이잖아요. 영상 기획이랑 편집은 고등학생 때부터 계속해 왔고요."

주호는 본인이 촬영과 편집을 도와주겠다고 했다. 아침에 VAT 훈련에 실패한 것이 미안해서였을까. 이유가 무엇이든 민정에게는 솔깃한 제안이었다. 자기소개 영상을 제출해야 하기에 지원을 망설이던 민정이었다. 평소 사진도 잘 안 찍는 민정이 영상 편집을 할 수 있을 리가 만무했다. 하지만 환하게 웃는 지희 선배 옆에 다른 라이프가드가 서 있는 꼴을 보는 건 아무래도 속이 좀 쓰릴 것 같았다. 지희 선배가 유별나게 편애한 탓에 동기들의 미움을 산 민정이었다. 자신을 외톨이로 만들어 놓고 본인은 새로운 베스트프렌드와 놀아난다는 건 안 될 말이었다.

"그런데 어떤 내용의 자기소개 영상을 원하는 건지 잘 모르겠네요. 다른 사람들이 어떻게 만들었는지 알면 좋을 텐데……."

주호가 한 손으로 눈썹을 문지르며 말했다. 어떤 생각에 깊이 잠길 때마다 나오는 행동이었다.

"제가 이따가 식당에서 동기 애들한테 한 번 물어볼게요."

처음으로 업무 이외의 것에 의욕적인 모습을 보인 민정이었다. 지희 선배가 챙겨주지 않으면 늘 혼자 점심을 먹는 민정이었지만, 상황이 이러하니 별다른 방도가 없었다. 두 사람은 워터 슬라이드에서 근무하는 틈틈이 어떻게 물어보아야 자연스러울지 나름의 전략을 짰다.

직원 식당에 들어선 민정은 눈을 굴리며 빠르게 경수의 위치를 확인했다. 경수는 민정이 생각하기에 가장 강력한 드리머 후보였다. 그는 민정과 함께 다이빙풀 테스트를 통과한 세 명의 남자 동기 중 하나였다. 민정과 지희와 같은 성진시 출신이고, 민정과는 고등학교 동문이기도 하다. 키가 크고 무쌍의 시원한 눈매를 가지고 있어 라이프가드들 사이에서 '드림비치 공유'로 통했다. 경수는 담당 신입 라이프가드와 마주 앉아 식사하고 있었다. 민정과 주호는 우연인 척 그들의 옆자리에 앉았다.

"안녕하세요."

민정이 머뭇거리는 사이 주호가 먼저 경수에게 인사를 건넸다.

"아 네 안녕하세요."

경수는 잠시 당황한 듯했지만 이내 준비된 미소를 지으며 답했다. 드림비치 공유라고 들었다, 아니다 강사님이 더 잘생기셨다 등의 서로 겸손한 외모 칭찬이 오갔다. 경수와 함께 있던 신입 라이프가드도 동기 주호가 반가운 기색이었다. 말을 걸어보겠다고 자신 있게 나선 민정이었지만 어쩌 민정을 제외한 세 사람만 이야기하고 있었다. 말없이 앉아 있는 민정이 신경 쓰였는지 경수가 먼저 말을 꺼냈다.

"민정아, 너는 드리머 지원 안 했어?"

예상대로 경수는 드리머에 지원한 상태였다. 나중에 주호는 이 말을 두고 그가 선수 출신인 민정을 의식하고 있는 것 같다고 했다.

"글쎄요. 자기소개 영상을 찍어야 한다고 해서 고민되네요."

민정은 고등학교 선배이자 자기보다 세 살 위인 경수에게 꼬박꼬박 존댓말을 썼다. 석 달간 민정과 같은 구역을 담당했던 경수는 민정의 고민이 이해된다는 듯 고개를 끄덕였다.

"나도 처음에는 어떻게 만들어야 하나 싶었는데, 그냥 아나운서 지원 연습한다는 생각으로 찍었어."

"아나운서요? 오빠 아나운서가 꿈이었어요?"

민정이 화들짝 놀라자, 경수가 머쓱한 표정을 지었다. 경수는 아나운서를 준비하며 매일 신문을 읽고, 근무가 없는 날에는 서울에 가서 스터디에 참여한다고 했다. 스터디에서 현직 아나운서를 만난 일화를 이야기하는 경수의 눈이 유난히 반짝였다.

"뉴스 컨셉은 진짜 생각도 못 했네요. 그런데 따라 하기는 좀 어렵겠다."

식사를 마친 경수 일행이 자리를 뜨자, 주호가 중얼거렸다. 생각에 잠긴 민정은 주호의 말을 듣지 못했다. 그러고 보니 경수는 외모만 눈에 띄는 것이 아니라, 편안한 중저음의 목소리에 발음도 좋았다. 민정은 어쩌면 지희 선배의 동생 역할로 경수가 더 어울릴지도 모르겠다고 생각했다. 같은 고향, 같은 학교에서 자란 경수가 오늘따라 다른 우주에 속한 사람처럼 느껴지는 민정이었다.

이후에도 주호와 민정은 휴식 시간 틈틈이 다른 지원자들의 정보를 수집했다. 누구는 시선을 끌기 위해 유명한 광고를 패러디하고, 또 다른 누구는 글로벌 역량을 어필하기 위해 영어로 영상을 찍었다고 했다. 폐장 후 유수풀을 청소하는 와중에도 고민에 잠겨 있던 주호가 대뜸 질문했다.

"강사님은 나중에 뭐가 되고 싶어요?"

바쁘게 튜브를 정리하던 민정의 손이 순간 멈칫했다. 대답이 없자, 이번에는 숙였던 허리를 펴고 민정 쪽으로 고개를 돌려서 다시 묻는 주호였다.

"민정 강사님, 강사님은 꿈이 뭐예요?"

꿈. 민정이 가장 싫어하는 단어다. 꿈이 있다고 하면, 그걸 이루도록 가만히 내버려 두는 호락호락한 세상이던가.

초등학생 시절 민정은 수영 코치가 되고 싶었다. 코치님들은 매일 수영도 할 수 있고, 선수들과 달리 힘든 훈련은 직접 하지 않아도 되었기 때문이다. 민정의 담당 코치는 종종 대학에 출강도 나갔다. 훈련장에서는 코치로, 대학에서는 교수로 대우받을 터였다. 그는 수영 코치가 되고 싶다는 민정에게 일단 훌륭한 선수가 되라고 했다. 그러면 자연스럽게 훌륭한 코치도 될 수 있을 거라고 덧붙였다.

담당 코치는 민정의 꿈을 진심으로 응원해 준 유일한 사람이었다. 다른 어른들은 수영 코치가 꿈이라고 말하면 대개 순진한 그녀가 귀엽다는 듯이 웃어넘겼다. 어린 나이의 민정도 그것이 불신의 의미임을 알고 있었다. 그녀가 세상을 조금 더 알고 나면 그 꿈을 버릴 것이라고, 또는 그 꿈을 이루더라도 후회할 것이라고 생각했을 터였다. 0.1초라도 기록을 앞당기고자 매일 훈련하는 그녀의 곁에는 언제나 담당 코치가 있었다. 그는 서울에서 열리는 대회에 참가하는 날이면 민정과 아이들을 데리고 근처 유명 대학 캠퍼스에 들렀다. 중학생이 되면서 민정은 그 또한 자신의 꿈에 대한 코치의 존중이자 응원임을 알게 되었다.

"코치님은 어디 갔어요?"

담당 코치는 민정이 중학교 2학년이 되던 봄, 갑자기 훈련장을 떠났다. 갑상샘에 생긴 종양을 제거하기 위해 수술을 한다고 했다. 병문안을 가서 만난 코치님은 조금 수척해졌지만, 여전히 활기찬 모습이었다. 아이들과 병원 휴게실에서 와자지껄 수다를 떨기도 했다. 비타민 음료를 마시느라 잠시 오디오가 잠잠해졌을 때, 아이들과 동행했던 학부모가 물었다.

"아이들은 당분간 다른 코치님이 맡아 주신다고 들었어요."

"네, 죄송해요. 어머니."

"아니에요. 코치님 건강만 신경 쓰세요. 그나저나 대학 강의는 어떻게 되셨어요?"

"다른 강사 구했다고 하더라고요. 이번 주부터 학기가 시작이라……."

회복을 마치면 바로 복귀하겠다던 코치님은 시간이 지나도 수영장에 나타나지 않았다. 수영장 측에서 두 개였던 청소년 선수팀을 하나로 합쳤기 때문이다. 가장 연봉이 높았던 담당 코치의 재계약은 자연스레 무산되었다. 새로운 코치는 민정을 별로 좋아하지 않았다. 민정이 자신의 전략을 순순히 따르지 않았기 때문이다. 그는 훈련 중 레이스 초반에 조금이라도 속도를 내면 멈춰 세우고는 페이스를 조절하라고 주문했다. 하지만 초반부터 순위권에서 많이 뒤처지면, 후반에 스퍼트를 내도 금메달을 따기는 어려웠다.

아버지와의 상담도 새 코치가 진행했다. 두 사람이 상담실로 들어가는 모습을 보며, 민정은 새 코치는 자신이 다이빙 자세가 좋다는 말은 안 하겠지, 짐작했다. 아마도 그는 민정의 기록이 꾸준히 좋아지고 있으며, 실업팀 선수가 될 가능성이 보인다는 말도 하지 않았을 것이다. 코치와의 상담을 마치고 집으로 돌아오는 차 안에서 아버지는 수영은 취미로만 하는 게 어떻겠냐고 물었다.

"생각해 보면 꿈만큼 누군가를 잘 드러내는 소재가 없는 것 같아요. 자기의 강점이나 가치관, 살아온 과정까지 한 번에 녹여낼 수 있잖아요."

어느새 주호는 청소를 다 마치고 민정의 코앞에 서 있었다. 그는 기다란 청소솔 손잡이에 턱을 괴고 민정을 빤히 쳐다보고 있었다. 더 이상 대답을 피할 수 없게 된 민정은 다른 컨셉을 제안했다.

"저도 그냥 패러디 영상으로 찍을까 봐요. 재미있게."

"아, 그런 건 어중간하게 할 거면 차라리 안 하는 게 나아요."

맞는 말이었다. 하지만 그 말을 듣고 민정은 순간 화가 치밀었다. 스스로가 '어중간한 사람'이라는 걸 뼈저리게 알고 있었기 때문일까. 사실 민정은 그 잘한다는 수영으로도 실업팀 선수가 되기는커녕, 체육 특기생 전형에도 합격하지 못했다. 이렇다 할 업적을 이뤄본 적이 없었기에, 수영 선수 출신이라는 사실을 꼭꼭 숨기고 싶었던 민정이었다. 지희 선배처럼 가정환경이 열악해서 꿈을 포기한 것도 아니었다. 부족한 적이 없었으니, 자신이 실패한 것들에 관해 어떠한 변명도 할 수 없었다. 기숙사 침대에 누워 친구들의 경기 영상을 시청하며, 민정은 지금의 결과는 모두 자신이 어중간했기 때문이라고 결론지었다.

국가대표가 되었다는 아무개와 달리, 성진시에서 워터파크 라이프가드나 하고 있는 건 결국 다 자기 탓이라고. 경수처럼 휴무일에 서울까지 오가는 치열함이 없는, 실력도 열정도 어중간한 자신 때문이라고.

"제가 원래 어중간한 사람이라. 뭘 해도 별로 일 거예요"

"네? 저는 그런 뜻이 아니라……."

당황하는 주호를 보며 민정은 또 한 번 스스로에게 실망할 수 밖에 없었다. 아무 잘못 없는 그에게 괜히 울컥한 자신이 부끄러웠다. 동시에 민정은 생각했다. 그렇다면 자신의 잘못은 또 무엇인가. 수영을 그만두라고 압박한 사람은 아버지였고, 자기 옆에 있어 달라고 부탁한 사람은 지희 선배였다. 오전에 마네킹을 구조하지 않은 사람도, 꿈이니 뭐니 하면서 민정을 자극한 사람도 주호였다.

"제가 지금 상태가 안 좋아서요. 영상은 같이 못 찍을 것 같아요. 저 먼저 가 볼게요."

"강사님, 잠시만요. 강사님!"

애타게 부르는 주호를 뒤로한 채 민정은 샤워실로 내달렸다. 훈련을 놓친 것도 모자라 이런 모습까지 보였으니 분명 무능한 선배로 보였을 거란 생각에 눈물이 비죽비죽 나왔다. 혼자서 상처받고 발끈했던 자신이 더 부끄러워졌다. 억울하지만, 따지고 보면 다 민정의 잘못이었다. 다른 사람들이 개입했다고 해도, 결국 자기의 일이고 자신의 인생이었기 때문이다.

샤워와 환복을 마친 민정은 혹시라도 주호와 마주치지 않기 위해 가장 마지막에 탈의실을 나섰다. 다행히 주호는 보이지 않았다. 한여름이지만 저녁 공기가 차가웠다. 피부에 남아있던 물기가 마르면서 체온이 떨어지는 것이 느껴졌다. 하늘을 보니 구름이 잔뜩 끼어 있었다. 곧 비가 내릴 것 같았다. 직원들까지 빠져나간 드림비치는 무척 고요해서, 잎이 무성한 가지들이 바람에 흔들리며 사그락거리는 소리만 가득했다. 그때 휴대폰 진동이 울렸다. 지희 선배의 문자였다.

민정아 내일 퇴근 전에 잠깐 나 좀 보자.

문자를 확인한 민정은 입구 쪽 건물의 2층을 바라보았다. 지희 선배를 비롯한 관리직 직원들이 근무하는 곳으로, 아직 불이 켜져 있었다. 아마도 지희 선배가 남아있기 때문일 것이다. 최근 라이프가드 수가 갑자기 늘어나면서 선배는 야근을 자주 했다.

저 아직 퇴근 안 했어요. 지금 사무실로 갈게요.

사무실로 향하는 민정은 머릿속이 복잡했다. 아침에 훈련을 놓친 일로 또 혼내려는 건지, 아니면 크게 혼낸 것이 마음에 걸려 다독이려고 부른 것인지 아리송했다. 마음 한쪽에는 어쩌면 같이 드리머를 하자고 제안할지도 모른다는 기대도 있었다. 걱정과 기대를 품에 안고서 민정은 사무실 문을 열었다.

"바로 왔네. 이리로 와봐."

사무실에는 지희 선배밖에 없었다. 자리에 도착하자, 선배는 서류 한 장을 내밀었다. 이틀 전 제출했던 근무 기간 연장 신청서였다.

"연장 신청서 냈던데. 학교는 복학 안 해?"

"네. 좀 더 일하려고요."

"왜, 아버지가 등록금 안 주신대?"

"아니요. 그런 건 아니고…….'

민정의 대답에 지희 선배는 팔짱을 끼고 책상 위에 놓인 신청서를 지긋이 바라보았다. 잠시 생각에 잠겼던 선배가 다시 입을 열었다.

"연장하지 마. 그냥 다음 달에 퇴사해."

예상치 못한 선배의 발언에 민정의 눈이 한껏 커졌다. VAT에 실패한 것이 잘못이기는 하지만 이 정도로 심각한 일인 줄은 몰랐다. 실제 사람이 다친 것도 아니고, 손님의 요청을 들어드리다가 실수한 것이지 않은가. 민정은 잠시 얼떨떨하게 서 있다가, 이내 억울한 마음에 눈물을 흘리기 시작했다.

"VAT 저만 실패한 거 아니잖아요. 저 말고도 전에 실패한 사람들 있었잖아요. 그 사람들은 잘 다니고 있는데 왜 저만 잘리는 거예요?"

"민정아."

"선배가 동기 중에 제가 가장 잘한다고 동기 대표도 시켰잖아요. 저 그래서 책임감 느껴서 더 열심히 했다고요. 지각도 한 번 안 했고, 퇴근도 다른 애들 청소 도와주다가 늦게 했어요. 그리고 아침에 훈련은 손님이 물품보관소 물어봐서 그거 알려주다가 놓친 거라고요."

"민정아, 내 얘기 좀 들어봐"

"선배도 아까 제 말 하나도 안 들어줬잖아요!"

민정은 거의 울부짖고 있었다. 처음 보는 민정의 모습에 지희 선배도 당황했는지 말을 잇지 못했다. 연장을 취소시킬 정도로 자신이 함께 일하기 싫은 사람이라는 사실이 민정에게는 충격적이었다. 지희 선배가 노란색 미니 구명 튜브를 달아주던 날, 민정은 자신이 마치 특별한 사람이 된 듯한 기분이 들었다. 국가대표는 못 되어도, 드림비치 대표 라이프가드는 될 수 있겠다고 생각한 민정이었다.

"저 나름대로 열심히 살았어요. 그냥 이렇게 될 줄 몰랐던 거예요. 이렇게 후회할 줄 알았으면 중간에 나가지 않았을 거라고요."

얼굴이 눈물과 콧물로 범벅된 민정의 손에 지희 선배가 휴지를 잔뜩 뽑아서 쥐여 주었다. 선배는 의자를 끌고 와서 민정을 앉히고 가만히 어깨를 두드렸다. 한번 터진 눈물은 그칠 줄 몰랐다. 오늘 하루 동안에 쌓였다고 하기엔 너무 많은 양의 설움이 계속해서 쏟아져 나왔다. 들썩이던 민정의 어깨가 잠잠해졌을 때, 선배가 민정의 손을 잡고 다시 말을 꺼냈다.

"민정아 내 말은, 너 수영 계속했으면 좋겠다고."

민정은 그게 무슨 말이냐는 듯이 붉게 충혈된 눈으로 지희 선배를 바라보았다.

"네가 오래 일하면 나야 좋지. 누구나 너랑 같이 일하고 싶을 거야. 너는 수영도 잘하고 책임감도 강하니까."

고양이의 그것과 닮은 지희 선배의 눈에도 눈물이 고이기 시작했다.

"그것들을 여기에서 썩히기에는 너무 아까워서 그래. 스포츠매니지먼트든 체육교육이든 학교에서 전문적인 공부를 더 했으면 좋겠어. 진심이야."

민정의 무릎 위에 올려진 선배의 손은 선배의 목소리만큼이나 떨리고 있었다. 이날 지희 선배는 술에 취하지도, 동생의 기일을 앞두고 있지도 않았다. 하지만 민정은 그녀의 진심을 그 어느 때보다 강하게 느낄 수 있었다. 평생을 설움을 쏟아낸 민정에게 지희 선배는 평생의 아쉬움을 담아 조언하고 있었다.

이야기를 마무리한 민정이 건물을 나섰을 땐 이미 깜깜한 밤이 된 후였다. 어느새 구름은 모두 사라지고 하늘에는 별이 가득했다. 드림비치는 성진시 중에서도 인적이 드문 외곽에 위치해서 운이 좋은 날에는 밤에 별똥별도 볼 수 있었다. 사실 별들은 도시의 불빛과 구름에 가려진 순간에도 변함없이 반짝이고 있었다. 민정은 고개를 한껏 젖혀 하늘을 바라보며 기숙사로 발걸음을 옮겼다.

"꿈과 희망이 가득한 드림비치, 너와 영원히 함께할 드림비치"

테마송을 흥얼거리는 민정의 발걸음이 가벼웠다. 기숙사에 다다랐을 무렵, 익숙한 실루엣의 남성이 여자 기숙사 앞을 서성이는 것이 보였다. 큰 키에 까무잡잡한 얼굴, 주호였다. 민정의 전화번호를 몰라서 여태 기다린 모양이었다. 이번에도 한 손으로 눈썹을 문지르고 있는 주호를 보고 민정이 함박웃음을 지었다.

"주호 님!"

민정이 양팔을 휘저으며 주호가 있는 내리막길 아래로 내달렸다. 한껏 신이 난 민정을 발견하자, 그제야 근심이 사라진 얼굴로 그녀를 향해 손을 흔드는 주호였다.

에스프레소 한잔

김동규

김동규　내 이름으로 된 책 한 권 출판하기. 저자 김동규의 버킷리스트 중 하나이며, 누구나 상상해 볼 수 있는 일이다. 그만큼 실행으로 옮기기에도 결코 쉬운 일이 아니라고 생각한다. 시작이 어려울 뿐, 책 만들기를 경험하고 나니 일기 쓰기와 자투리 시간에 떠오르는 문장을 써보는 새로운 취미 활동에 빠져있다.

기회를 기다려라. 그러나 결코 때를 기다려서는 안 된다. – 오늘의 교훈

첫 피시방 알바를 하러 가기 전 아침, 민우의 카페에 들르는 기훈이다. 하지만 카페 문이 닫혀있다. 가게 유리문 안쪽에는 오늘의 교훈이 적힌 노란 포스트잇이 붙여져 있다. 민우는 매일 카페를 마감할 때마다 그날 선정한 문구를 노란 포스트잇에 적어 카페 유리문 입구에 붙여놓고 나온다. 어제는 마감까지 남아있던 한 남자 손님도 뒤따라 나와서 이 문구를 읽어보고는 뒤돌아 갈 길을 갔었다. 닫힌 카페 문 앞에서 기훈은 단축번호 1번을 길게 눌러 민우에게 전화를 걸어 인사를 건넨다.

"노민우 씨, 어제도 잘 있다가 갑니다."

"어제도 우리 카페를 이용해 주셔서 감사합니다. 손님. 어제 제2의 문기훈이라고 할 수 있는 손님도 마감까지 함께 남아있었는데, 예전 생각이 나시겠어요."

민우는 어제 마감까지 있다가 포스트잇을 읽고 간 남자 손님이 기

훈을 똑 닮았다고 말한다. 세상에 자기랑 똑같은 사람이 또 있겠느냐는 말만 들어봤지, 실제로 보니 기훈도 예전 생각이 나려고 한다. 민우는 기훈에게 이런 말을 한 적이 있다. 누군가 나쁜 짓을 하더라도 유일하게 그 사람의 편을 들어줄 수 있는 사람은 부모님이라고. 그 무엇도 부모님의 사랑보다는 강할 수 없다고. 그렇지만 자식들이 부모님께 툭툭거리는 것은 그만큼 가장 가까운 존재이기 때문에 일어나는 거라고 말했다. 처음에는 민우의 말을 이해할 수 없었던 기훈이었다. 하지만 이제 기훈은 2살이나 어린 후배의 말을 새겨듣는다. 어떤 명언을 남길지 모르는, 어디로 튈지 모르는 성격의 소유자인 민우지만 기훈은 이제 익숙해진 듯하다. 익숙해질 만하면 떠난다고들 하듯, 기훈은 어제 일을 뒤로 남긴 채 첫 알바를 위해 버스 정류장으로 몸을 옮긴다. 기훈은 잠깐의 여정을 함께 할 이어폰을 귀에 꽂는다. 그리고 아까 생각나려고 했던 예전의 추억을 회상해 보는 기훈이다.

"주문하시겠어요?"

"늘 먹던 걸로요."

여름에서 가을로 넘어가는 환절기 탓에 기훈은 코를 훌쩍이며 자리를 둘러본다. 늘 앉는 창가 자리가 비어있어서 에코백을 놓고 앉는다. 쌀쌀해질 때쯤 늘 찾는 유자차가 나올 동안 의자에 몸을 기댄 채 창밖을 바라본다. 월요일 오후인데도 사람들이 꽤 다닌다. 마실 게 나오는 사이에는 무려 5쌍의 커플이 지나간다.

"이야, 봄도 아닌데 말이야, 그렇지?"

카페 사장 민우도 기훈의 옆으로 와서 앉아 같이 창밖을 바라본다.

기훈이 주문했던 유자차와 함께 민우는 본인이 마실 에스프레소 한 잔도 같이 들고 왔다. 진하고 깊은 향기가 기훈의 코끝을 움찔거리게 한다.

"오늘은 콜롬비아 원두네?"

"오~ 이젠 커피 전문가가 다 됐네? 형, 여기서 일하라니까. 주말 알바생 말이야, 영 맘에 들질 않아. 커피를 너무 대충 만드는 것 같아."

민우는 커피만큼은 진심인 사람이다. 진심인 이유는 커피의 맛에서 헤어 나올 수 없기 때문이다. 기훈도 여기서 커피 향을 맡을 때마다 원두의 원산지를 어느 정도 맞출 수 있다. 서당 개 삼 년이면 풍월을 읊 듯이, 민우가 틈만 나면 기훈에게 커피에 대해서 알려줬기 때문이다. 카페인 알레르기가 있는 기훈은 커피를 마시지 못하지만, 틈틈이 그 향은 민우와 함께 느껴왔다. 그래서 기훈은 커피 향으로만 어느 나라 원두인지 구분을 할 수 있게 됐다. 기훈이 고3 당시, 같은 동아리에서 만난 고1 후배가 민우다. 신입생 민우는 스타벅스 본사 정직원이 되는 것이 장래 희망이라고 말했다. 그 이유는 커피를 사랑하고, 스타벅스 가 커피 시장에서 가장 큰 회사라고 생각하기 때문이라고 했다.

"스타벅스는 세 가지 서비스를 무료로 제공해요. 주문 없이 앉아있 어도 되고, 주문 없이 화장실을 사용할 수도 있고, 그리고 그라인딩도 공짜로 해줘요. 그리고 이건 제가 만든 세 가지 철칙이에요. 어때요, 좋죠?"

"좋네."

특히 신입생 민우의 마음을 사로잡았던 점은 스타벅스에서 제공하는 세 가지 서비스라고 했다. 그것을 본받아 민우도 본인만의 세 가지 철학을 만들었다. 지금 생각해 보면 정말 웃긴 발상이었지만, 결코 쉬운 일만은 아니다.

1. 민우네 카페에서 주문한 커피의 원두 원산지를 맞추면 무료로 드립니다!

2. 민우네 카페에서 파는 3,000원짜리 포춘쿠키를 구매한 후 쪽지에 적힌 메뉴를 보여드리면 그 메뉴로 드립니다!

3. 민우네 카페에선 그라인더로 커피를 갈아볼 수 있는 체험을 무료로 제공합니다!

17살이었던 민우의 철없던 그 생각들이 지금 민우의 카페를 생기게 했다. 지금도 이 세 가지 규칙은 카페 벽에 예쁜 글씨로 적힌 채 걸려있다. 기훈은 지금까지 그라인더 체험만 해봤다. 기훈이 커피를 마시지 못하기 때문에 민우는 늘 안타까워하지만, 표정은 언제나 장난기 가득하다. 짧은 시간이지만, 시간이 지날수록 커피 향 맡는 실력이 늘어나는 기훈을 보며 민우는 만약 기훈이 커피를 마실 수 있었다면 적자가 났을 거라고 말한 적도 있다. 기훈은 태어나서 확률이나 무작위로 뽑는 것에 대해 한 번도 관심을 가져본 적이 없다. 기훈과 민우 세대의 어린 시절에는, 학교 앞 문구사 같은 곳에는 100원을 넣고 가위바위보 버튼을 누르면 승패에 따라 동전을 더 딸 수 있는 기계가 꼭 있었다. 기훈은 그것조차 해보지 않았기 때문에 민우네 포춘 쿠키도 사 먹지 않는다. 가끔 기훈은 민우의 카페에서 그라인더 체험을 한다. 기훈은 커피가 갈리는 그 특유의 손맛으로 가끔 힐링하는 기분을 느낀다. 어쩌면 민우의 카페는 기훈에게 제2의 스타벅스일지도 모른다. 철없어 보였던 민우의 상상은 본인의 꿈인 스타벅스에 한 발짝 더 가까이 갔다고 할 수 있다. 하지만 기훈은 아직 그런 꿈이나 목표, 그리고 말도 안 될 것 같은 이런 상상도 없다. 기훈이 혼자 속으로 옛 추억을 생각하는 동안 민우는 알바생에 대한 불만을 마저 말했다. 그 직후 잠깐의 정적이 흐르는 동안 민우는 커피 한 모금, 기훈은 유자차 한 모금을 마시며 창밖으로 보이는 사람들과 풍경을 바라본다. 민우는 기훈이 카페에 오면 끊이질 않고 수다를 떤다. 과묵한 성격의 기훈과는 완전 정반대다. 기훈은 말하는 것보다 듣는 것을 더 선호하기 때문에 두 사람의 대화는 끝나지 않는 토크쇼를 보는 것 같다. 기훈과 민우의 대화는 보통 민우가 '좋지?'로 물어보면 기훈이 '좋다'로 대답하며 끝난다. 제삼자가 대충 엿들어 보면 다 좋은 얘기들뿐이라고 생각할 수도 있다. 기훈에게는 민우를 포함해 좋은 얘기를 해주는 사람들이 많다. 가장 가까운 곳에서 좋은 말을 해주는 사람은 기훈의 부모님이라고 할 수 있다. 기훈의 부모님은 다 선생님이시다. 스승은 하늘과 같았던 시절부터 선생님을 하셨기 때문에 두 분 다 매우 엄격하시다. 그 영향을 받아 기훈도 바르고 도덕적인 자세를 배우며 자라왔다. 성인이 되고 나서도 외박을 해본 적이 없고, 통금시간도 정해져 있으며, 어릴 적 친구들과는 마음대로 놀아보지도 못했다. 그 가장 큰 이유는 친구들과 너무 친하게 지내면 '친구 따라 강남 간다'라는 부모님의 말씀 때문이었다. 그래서 어린 시절 학교를 마친 후 친구들과 100원 넣고 가위바위보 하는 기계도 같이 해본 적이 없는 것이었다. 기훈은 지금 생각해 보면 부모님의 말씀이 다 맞는 거 같다고 생각한다. 온실 속의 화초처럼 자란 기훈의 대학 입시를 앞둔 시점 장래 희망도 부모님의 영향을 받아 '선생님'이었다. 정말 선생님을 하고 싶어서라기보다 집안 분위기에 따라 결정한 선택이었다. 그런 선택이라도 10대에는 모두 자신만의 이상적인 세상을 꿈꾸기 마련이다. 하지만 많은 청년들이 경험하듯 그것을 뜻대로 이루는 것이 가장 어려운 일 중 하나라는 걸 기훈은 현재 알고 있다. 기훈이 20살 성인이 되고 나니 제일 어려운 것은 대학 생활이었다. 엄격한 분위기 속에서 기훈이 자발적인 선택을 해본 적은 없다. 집에서는 부모님이 정한 메뉴대로 밥을 먹었어야 했고, 부모님이 짜준 시간표대로 공부했다. 그렇게 대학에 가니 친구들과 밥을 먹을 때도, 도서관에 갈 때도 기훈은 늘 따라다니기만 했다. 대학 공부부터는 시키는 사람도, 가르쳐줄 학원도 없었다. 친구라도 많이 사귀어봤으면 사교성이라도 좋았을 텐데, 기훈은 누가 말이라도 걸면 그 자리에서 얼어붙기 일쑤였다. 과에서 돌아다니는 소문에 의하면 기훈은 같이 있을 때 가장 불편함을 주는 사람이라고 한다. 그런 기훈에게 쉬지 않고 말을 거는 민우 덕분에 기훈은 '늘 먹던 걸로요'라는 농담도 날릴 줄 알게 된다.

"형, 저 지나가는 커플들을 보니까 형이 처음 카페 왔을 때가 생각이 난다. 형 처음 여기 왔을 때 주문도 제대로 할 줄 몰라서 막 말 더듬고, 먹지도 못하는 커피나 마시고 말이야."

"에이, 말 더듬진 않았거든."

기훈은 민우의 카페에 제일 처음 왔던 날, 그리고 이곳에 오게 된 계기를 떠올려 본다. 대학교 졸업을 앞둔 기훈은 한동안 민우와 만나지 못했다. 민우는 대학 진학을 하지 않고 자신의 꿈인 스타벅스를 향해 떠난다고 했었고, 기훈도 현재 졸업을 향해 서로의 길을 달려왔다. 기훈의 동기나 선후배들은 토익, 한국사를 포함해 여러 가지 시험들을 준비하면서 취직 준비에 매진하고 있었다. 몇몇은 벌써 취업에 성공해 자취방 구한다는 소식도 들려오는 중이었다. 모두 청년들답게 열심히 무언가를 하고 있었지만 정작 기훈은 아무것도 준비된 것도, 준비 중인 것도 없었다. 그래서 기훈은 가장 열심히 들었던 현대경영이론 수업의 교수님과의 면담하기 위해 학과 사무실에 직접 전화를 걸어보기로 마음먹는다. 하지만 아직 기훈은 두려움이 가득하다. 오죽하면 기훈은 전화하기 학교 상담 요청 전화 시 해야 할 말을 미리 검색해 메모장에 적어두고 연습했다.

"여보세요? 안녕하세요? 저는 경영학과 14학번 문기훈이라고 합니다. 한두식 교수님과 면담 신청을 위해 전화드렸습니다."

우여곡절 끝에 기훈은 한두식 교수님과 만날 날짜를 캘린더에 적어두었다. 기훈도 많은 대학생 중 한 명이기 때문에 교수님과 만나는 날 긴장감 떨쳐내기는 힘든 일이었다. 다행인 점은 한두식 교수님은 교내에서도 훌륭한 수업과 학생들과의 활발한 의사소통으로 인기가 많은 교수님이다. 하지만 그만큼 현실적인 조언들도 아끼지 않는다는 후기도 많다. 그럼에도 너무 긴장한 나머지, 손에 땀이 뚝뚝 떨어지는 채로 기훈은 힘겹게 24호관 501호 문을 두드렸다.

"안녕하십니까? 교수님."

"반가워요, 기훈 씨, 오랜만이네요, 요즘은 잘 지내시죠? 그래서 어떤 고민을 하고 오셨나요?"

기훈은 벌써 숨이 막혀오는 것 같았다. 이런 기훈의 감정을 알아차린 교수님은 사무실 냉장고에서 음료수를 하나 꺼내어 기훈에게 전했다. 기훈은 음료수를 한 모금하고 나니 조금이나마 차분해졌다. 기훈은 조금 전보다 침착하게 그동안 생각했던 고민을 교수님에게 말해본다. 기훈은 대학에 왔을 때부터 취업 생각이 없었다. 대부분 또래 친구는 전부 토익, 한국사 그리고 자격증을 준비 중이거나 취직 준비 중이거나 또는 대학 생활 내내 대외활동이나 봉사활동을 많이 하는 중이었다. 그리고 전공에 맞는 곳의 인턴 생활을 하는 학우들도 있었다. 이 모든 것을 해내는 놀라운 학생도 간혹 있었다. 기훈은 이 중 어떠한 것도 해보지 않았다. 능동적으로 살아본 적 없는 것이 가장 큰 이유인 것 같다고 기훈이 이어 말했다. 대학에 합격했던 고3 기훈은 모든 것이 다 해결된 줄만 알았다. 치열했던 대학 입시 경쟁이 비로소 끝이 났고, 앞으로는 하고 싶은 일만 할 수 있을 줄 알았다. 하지만 성인이 되었다는 것은 이제부터 인생의 시작이라는 뜻이었다. 기훈은 막상 무언가를 시작하려 하니 무엇을 해야 할지 어떻게 해야 할지 도무지 감이 잡히질 않았다.

"기훈 씨는 왜 처음부터 취업 생각이 없었나요? 없더라도 친구들을 따라 토익 학원이라도 갈 수 있었을 텐데."

사실 기훈이 처음부터 취업 생각도 없고, 무엇을 해야 할지도 몰랐던 이유는 고교 시절 있었던 한 경험 때문이었다. 고3 새 학기 직

후, 담임이 기훈을 교무실로 부르더니 기훈에게 왜 엘리트 반 학생들의 기회를 뺏냐며 다짜고짜 고함을 치며 윽박질렀다. 기훈은 고등학교 시절 내내 교내에서 주최하는 모든 대회에서 수상을 한 이력이 있다. 이 수상 내용들이 엘리트 반 학생들에게 있어야 인서울 대학교를 더 많이 보낼 수 있는데 기훈이 그 문제의 원흉이었다는 것이 담임의 말이었다. 기훈은 그날 이후로 공부 잘하는 학생들의 기회를 뺏는 중위권 학생이라고 자기 자신을 각인하고 말았다. 그 후로 기훈은 가장 중요한 고등학교의 마지막 학년, 10대의 마지막을 무기력하게 마무리했다. 그런 일이 있고 난 후 대학에 와서도 아무런 의욕도 생기지 않았다. 오히려 대학에 왔으니 이제 모든 게 다 해결되었고 앞으로 잘될 것이라고만 생각하게 되었지만, 그날의 기억이 트라우마로 남았는지 대학생 공모전 포스터만 봐도 이것은 대기업에 취직해야 할 사람들의 것으로 생각하게 되는 기훈이었다. 기훈이 이런 수모를 당한 날 후배 민우는 엄청 화를 냈었다. 끝날 줄 모르는 수다쟁이의 화가 머리끝까지 나 기훈의 담임에게 당장이라도 찾아갈 것처럼 욕을 했다. 본인의 일도 아닌데 당사자보다 더 화를 내는 민우를 보니 기훈은 조금이나마 위로가 됐다. 기훈은 이 이야기를 교수님에게 말하고 싶지 않았다. 그냥 대학에 진학하면 다 해결될 줄 알았고, 남자라 군대도 다녀오고 하다 보니 이렇게 된 거 같다고 얼버무리며 대답했다.

"기훈 씨, 기훈 씨는 아직 인생을 제대로 시작해 본 적이 없는 것 같아요. 지금까지 기훈 씨의 얘기를 들어봤는데, 기훈 씨가 현재 25살이지만 아직 마음은 15살 같아요. 우선 우리 학과 졸업생이고, 뭐라도 시작한다면 그에 적합한 것은 공부입니다. 2년 정도만 투자해 보면 27살이네요. 지금 사회에서 가장 필요로 하는 나이이기도 하죠. 그 전에 먼저 해놔야 할 작업이 있습니다."

교수님은 먼저 졸업한 선배들이 남겨놓고 간 공무원 시험 준비 후기, 로스쿨 진학 준비 등 다양한 후기들을 모아둔 파일을 꺼내 기훈에게 보여줬다. 제일 먼저 눈에 들어오는 것은 모든 선배가 실행했다던 하루 일과표였다.

6:30 기상

6:30~6:40 세면 세족

6:40~7:30 아침 러닝 & 아침 식사

7:30~11:30 아침 공부

11:30~12:00 점심 식사

12:00~18:00 오후 공부

18:00~18:30 저녁 식사

18:30~23:30 저녁 공부

23:30~00:00 샤워 후 취침

가장 먼저 해야 할 작업은 바로 '앉아있기'라고 교수님이 기훈에게 말했다. 이 모든 일과를 해내려면 오래 앉아있을 줄 알아야 한다는 것이 기본이며 그 이유였다. 한두식 교수님 본인도 물론, 모든 학교 선배가 이런 생활을 해왔다는 것이다. 이 일과표는 합격생들을 통해 전통적으로 내려오는 공부를 위한 일과표라고 한다. 한두식 교수님은 공부할 땐 '곧 죽을 수도 있겠다.'라는 생각이 들 정도로 하는 것이라고 기훈에게 말했다. 매일 밤 자려고 누우면 눈물이 흐를 정도로 해야 하고, 그 눈물은 슬퍼서도 기뻐서도 우는 것이 아니라 그냥 나온다고 것이라고 한다. 교수님을 포함한 모든 경험자가 똑같이 겪은 증상이라고 재차 강요하는 한두식 교수님이다. 곧이어 누군가 교수님의 방을 노크한 후 들어왔다. 기훈 말고 다른 학생도 상담을 신청한 모양이었다. 교수님은 기훈에게 고민이 잘 해결된 것 같아 다행이라고 하며 3개월 뒤에 다시 연락해서 찾아오라고 기훈에게 말했다. 그 3개월 동안 오래 앉아있을 수 있는 사람이 되도록 해보고, 가능하다면 동시에 토익이랑 자격증 1개 정도를 목표로 하라고 말했다. 사무실 문을 닫고 나온 기훈이 시계를 확인하니 벌써 상담을 한 지 1시간이 지나있었다. 사실 기훈은 자신의 고민이 명쾌하게 잘 해결되지 않았다고 생각했다. 교수님에 대한 좋은 평이 많았던 만큼 기대했지만, 생각보다 답답하게 느껴진 결론에 기훈은 교수님에게 섭섭한 마음이 든다. 지금까지 정해진 일정대로는 열심히 잘했던 기훈이었지만 이번만큼은 정해진 대로 꼭 해야겠다는 생각이 들지 않는다. 처음으로 거부감을 느끼자 오히려 더 싱숭생숭해진 마음을 가지게 되었고, 터벅터벅 학교 정문으로 걸어 나오는 기훈이다. 차마 부모님에게 이 일을 허심탄회하게 말하기도 좀 그렇고, 연락처를 둘러봐도 그럴 수 있는 친구가 마땅히 있지 않았다. 그때 '노민우'라고 저장해 놓은 연락처를 발견했고, 복잡한 심경을 안고 민우에게 오랜만에 안부 문자를 보내본다. 심란한 감정에 휩쓸려 갑작스럽게 문자를 보내고 나니 막상 민우가 반겨줄지 후회가 몰려오는 기훈이다. 보통 갑작스럽게 오는 연락은 돈을 빌려달라거나, 결혼, 보험, 종교 등 좋지 않은 이유로 많이 오기 때문이다. 문자를 하자마자 민우에게서 전화가 왔고 기훈도 거절하지 않고 받았다. 기훈이 고등학교를 졸업한 이후로 한동안 보지 못했지만, 민우는 어제 만난 친구처럼 반갑게 인사해 줬다. 민우는 그동안 자신의 꿈인 스타벅스를 포기하지 않은 채 달려왔다고 말했다. 민우는 졸업하자마자 바리스타 자격증을 따고 커피를 향한 본격적인 공부를 했다고 한다. 그리고 마침내 민우의 개인 카페를 마련하는 데까지 이루었다고 말해줬다. 곧이어 민우가 기훈에게 안부를 묻게 되었는데, 기훈은 차마 뭐라고 해야 할지를 몰라 나중에 만나면 자세히 말해준다고 했다. 그러자 민우는 자신의 카페에 오라며 카페 주소를 문자로 보내주겠다고 했다. 전화를 끊고 나서 기훈은 민우가 알려준 주소를 인터넷으로 검색해 본다. 마침 그 카페는 기훈의 집과 가까운 위치에 있었고 다음 날 민우의 카페로 향한다. 전날 교수님과 나눈 대화에서 '앉아있기'를 한번 떠올려 보며 카페 유리문을 미는 기훈이다. 커피 볶는 향이 은은하게 나고 있었고 분주하게 움직이는 한 남자 직원의 뒷모습이 보였다. 기훈은 민우가 아닌 다른 알바생이 일을 하고 있을까 봐 카페 주문 시 해야 할 말을 메모장에 적어 미리 연습했었다. 그리고 그 남자 직원의 뒷모습을 향해 큰 목소리로 말하는 기훈이다.

"저 여기서 제일 잘 나가는 게 뭐에요? 그걸로 주세요!"

그 남자가 뒤돌아보니 민우였다. 이렇게 말하고 나니 얼굴이 붉게 달아오르는 기훈이다. 바쁘게 일을 하고 있지만 재빠르게 주문을 입력하고 기훈을 향해 웃어준다. 이날이 민우를 20대가 된 이후로 처음 만난 날이다. 민우는 여전히 장난기 가득한 미소를 지니고 있었고, 자리에 앉아서 기다리면 가져다준다고 말했다. 민우는 내게 에스프레소를 만들어 주었다. 세상에 그런 쓴맛을 경험한 것은 처음이었다. 기훈은 아무리 오랜만에 보는 후배라지만 사기당한 기분이 들었고, 이런 걸 돈 주고 마시냐는 표정으로 앉아있자, 민우가 기훈에게 다가왔다.

"맛이 어때? 맛있지?"

"어, 뭐 좀 쓰네."

"인생을 음식에 비유해 보라고 하면 내 대답은 아주 쓴 에스프레소야. 인생은 쓴맛의 연속이거든. 하지만 에스프레소가 달게 느껴질 때가 있어. 그날은 당신의 하루가 그만큼 보람찼다는 증거이기도 하지. 내가 이 카페를 열었던 첫날 마셨던 에스프레소의 달콤함은 아직도 잊지 못해."

기훈은 20대가 된 후 처음 본 민우의 첫인상과 첫 대화를 잊을 수가 없다. 오랜만에 듣는 민우의 교훈 퍼레이드는 기훈의 마음을 안정시켰다. 기훈보다 훨씬 작은 키에 깔창이 높은 신발을 신은 게 보였고, 기훈만큼 훈훈한 외모의 소유자도 아니었지만, 기훈보다 훨씬 당돌해 보였다. 단정한 하얀색 셔츠와 검은 슬랙스, 바리스타에 어울리는 앞치마를 두른 그의 모습은 운동복 차림의 후줄근한 기훈과는 사뭇 다른 분위기를 풍겼다.

"어서 오세요, 주문하시겠어요?"

"저 여기 처음 와보는데, 여기서 뭐가 제일 잘 나가요?"

창밖을 보며 민우와 만났던 날을 회상하는 기훈이 유자차를 조금 마시고 있는 동안 새로운 손님이 들어온다. 민우는 언제 카운터까지 갔는지 모를 정도로 빠르게 가서 새 손님을 맞이했다. 민우는 커피가 나오면 자리에 가져다드린다고 말하고 곧바로 커피를 만들기 시작했다. 그 손님은 주문 후 탁 트인 창가 자리에 가방을 놓고 앉았다. 기훈은 자신이 처음 이곳에 와 주문했을 때 했던 멘트와 목소리 크기, 톤마저 비슷한 남자 손님을 바라보았다. 자신과 똑 닮았다는 생각이 드는 기훈은 다시 창밖을 바라보며 유자차를 마저 마신다. 월요일 오후가 거의 끝나가는 창밖의 풍경은 참 기분 좋게 평화로웠다. 순간 커피 향이 가게 안을 가득 채웠다. 이번엔 브라질 원두로 내린 에스프레소다. 특유의 신맛이 느껴지는 향이 코끝을 찡하게 만들었다. 그 남자 손님은 한입 하더니 일그러진 표정을 한번 짓고 곧바로 다시 창밖을 바라본다.

"제일 잘 나가는 메뉴인데 어떠세요?"

"좀 쓴 것 같아요. 신맛도 좀 나는 거 같고."

"인생은 다양한 맛을 느끼게 해줘요. 때론 달콤한 맛, 때론 매운맛, 지금은 이 에스프레소처럼 쓴맛일 때도 있는 거죠. 여기에 물을 넣으면 아메리카노가 돼요. 우유를 넣으면 라떼나 카푸치노가 되기도 하죠. 뭘 넣을지는 본인에게 달려있죠."

민우는 처음 오는 손님이지만 민우다운 첫인상을 남겨준다. 어디서 저런 아이디어들이 샘솟는지 놀라울 지경이다. 옆에서 민우의 말을 들은 기훈은 아직 본인이 에스프레소 같은 상태일지도 모른다는 생각이 문득 든다. 어쩌면 아직 갈리지도 않은 원두일지도 모른다. 기훈이 자신을 포기하고 방치하게 된다면 그 원두도 결국 썩게 될 것이다. 하지만 썩기 전에 뭐든 시도해 본다면 기훈의 앞길도 조금 트이지 않을까 생각해 본다. 이제 곧 민우에겐 퇴근의 시간이 다가온다. 여느 직장인과 다르지 않게 퇴근 시간을 기다리는 민우는 카페 마감 준비를 일찌감치 시작한다. 퇴근 시간이 다가오는 것은 누구에게나 즐거운 일이다. 기훈도 퇴근을 해보고 싶다는 의지의 불씨가 피어오른다. 기훈은 퇴근 시간이란 것을 한 번도 느껴보지 못했다.

"나도 퇴근해 보고 싶다."

"그렇다면 출근하면 되지. 꼭 대기업, 정규직이 아니어도 돼. 알바부터라도 괜찮아. 그러면 퇴근을 느껴볼 수 있게 돼."

혼잣말한다는 것이 자신도 모르게 튀어나온 기훈의 중얼거림에 민우가 대답한다. 순간 기훈은 최근 뉴스로 본 기사가 머릿속을 지나간다. 일주일에 한 시간만 일을 해도 국제노동기구의 기준에 따라서 취업자라고 할 수 있다는 뉴스 내용이었다. 기훈은 한 시간을 일하더라도 퇴근의 기분을 느끼고 싶어 남은 유자차를 끝까지 마시고 알바를 구하는 앱에 들어간다. 앱은 이미 있었지만, 몇 년 동안 사용하질 않은 기훈이다. 민우도 기훈 옆에 슬쩍 와서 구인 목록을 함께 둘러본다. 민우는 기훈에게 피시방 알바를 해보는 것이 어떻겠냐고 추천을 해준다. 기훈은 게임을 무척 좋아한다. 이 세상의 모든 게임을 다 공략해 보는 것이 기훈의 목표 중 하나이기도 하다. 민우는 기훈이 가장 좋아하는 것이 게임이고, 그것과 가장 가까이 있을 만한 곳은 피시방이라고 설명해 주었다. 물론 피시방 아르바이트가 게임을 좋아한다는 이유만으로 하기에는 적성에 맞지 않는 직종일 수도 있다. 그렇지만 기훈은 바로 그 자리에서 알바를 신청한다. 더 이상 망설이면 안 된다고 느꼈고, 혹여 떨어지더라도 다른 곳에 다시 지원하면 된다는 생각이 드는 기훈이다. 남들은 20살이 되자마자 바로 인생을 시작했다면 기훈은 25살인 지금부터 시작하게 되는 것이다. 늦게 시작하는 것이 자신에게 더 많은 힘듦으로 돌아올 수도 있지 않을까 하고 생각해 보는 기훈이다. 민우는 기훈에게 그동안 아주 큰 것들에게 압도당해 있었던 것 같다고 말한다. 수능이 끝나고 대학에 입학하면 다 끝난 줄 알았지만, 사실은 진정한 시작점에 온 것이다. 그동안 기훈은 대기업 취직, 공인 인증시험, 대외활동을 더불어 20대 안에는 취직, 30대에는 가정을 꾸리고, 40대 안으로는 자가와 자차가 있어야 한다는 등의 업적에게 압도당했던 것이었다. 현재의 신분이라면 대학 성적도 잘 받아뒀어야 한다. 어느 하나 잘 돼 있는 것이 없다고 할 수 있지만 지금 기훈에게 시도 자체가 큰 변화라고 할 수 있다. 민우가 마감에 들어가기 직전 기훈은 창가의 블라인드를 내리며 민우에게 자기 생각을 말한다.

"좋은 기억은 추억이고, 나쁜 기억은 경험이래. 추억이든 경험이든 해보지 않으면 만들어지지 않는 거 같아. 난 이제부터 시작이야."

안녕, 나의 요정님

원지영

원지영　　어릴 적 겪었던 사건으로 사람을 특히, 또래를 무서워하게 되었다. 지금은 많이 고쳤지만, 그동안 지내면서 '그때 이런 말들을 들었다면 어땠을까' 하는 안타까움 섞인 상상을 해 왔었다. 또한 힘들 때, 누군가 옆에 있었다면 훨씬 잘 이겨낼 수 있었을 것이라는 아쉬움도 있었다. 그래서 이제는, 나 먼저 스스로에게 위로를 전해주려고 한다. 나를 포함한 다른 누군가에게도 부디 내 말들이 조금이나마 따뜻한 위로가 되길 바란다.

녹음이 짙어지고 시원한 나무 그늘이 드리워지는 여름, 쨍한 햇살 아래로 터벅터벅 걸어가며 하교 중인 온유의 뒤에서 누군가가 말했다.

"야, 너 진짜 착한 척 좀 하지 마."

온유의 뒤에서 큰 키에 싸늘한 눈빛을 한 여자아이가 말했다. 그 여자아이의 이름은 고소연. 학교에서 가장 영향력 있는 아이다. 소연 곁에 있던 '고소연 무리' 중 소연의 껌딱지인 여자아이도 거들었다. 괜히 자기들만 나쁜 애 만들었다고. 짜증 난다고.

오늘 학교에서 온유의 이름은 '착한 척하는 애'였다. 지나가던 아이가 떨어뜨린 종이를 대신 주워 주었을 때도, 선생님이 오시는 걸 보고 반 아이들에게 말했을 때도, 자습 시간에 조용히 공부하고 있을 때도. 소연 무리는 온유의 모든 행동에 착한 척 좀 하지 말라고 했다.

온유가 온종일 '착한 척하는 애'로 찍힌 데에는 하나의 사건이 있었다.

온유가 6학년이 되고 난 후의 여름방학이었다. 온유가 이 아이들을 만난 후부터 계속 그랬듯 역시나 그날도 소연 무리는 온유를 불러냈다. 온유는 이제 집 밖에서 온유라는 말만 들려도 가슴이 두근거렸다. 그날은 냇가에서 모이기로 했었다.

무리가 냇가라고 부른 곳은 좁았지만 얕고 깊은 부분이 함께 있는 강가였다. 도착해 보니 그날은 웬일인지 반 아이들도 모여 있는 상태였다. 소연이 강가 옆 큰 바위에 올라가 자랑스럽다는 듯이 아이들을 한번 쳐다보고는, 신나는 목소리로 하게 될 일을 설명했다. 그날 모두가 모인 이유는 '멋있는 포즈 다이빙 대회'였다. 각자 가장 높은 바위에 올라가 자신이 멋있다고 생각하는 포즈로 다이빙하면 되는 거였다. 문제는 모인 아이들은 무조건 참여해야 한다는 것과 다이빙하는 모습은 전부 동영상으로 남겨진다는 것. 그리고 다치면 자기가 책임져야 했다. 모두 순간 일그러졌지만, 재빨리 신나는 표정으로 환호했다. 아이들의 환호에 기분이 좋았는지, 제일 잘 뛴 사람은 이번 주 주번을 제외해 주겠다고 했다.

다들 재밌겠다는 억지스러운 말들을 보탠 뒤 한 명씩 바위로 올라갔다. 첨벙. 첨벙. 차례로 뛰었고 이내 온유의 순서도 찾아왔다. 온유는 벌벌 떨면서 한 발짝 씩 천천히 바위 위로 올라갔다. 그 모습을 보고 소연이 답답했는지 빨리 내려오라며 소리쳤다. 온유는 한 번도 다이빙해 본 적이 없었다. 너무 무서웠고 울렁거렸지만, 소연도 소리치고 아래서는 아이들이 보고 있었기에 떠밀리듯 뛰어내렸다.

"…아!"

외마디 비명이 들린 후, 곧바로 급박한 목소리가 들려왔다.

"살려주세요!!"

온유가 뛰어내린 자리 주변으로 붉은 액체가 퍼졌다. 허우적거리며 물 위로 간간이 보이는 이마에서 피가 물과 섞여 뒤범벅되었다. 사태의 심각성을 깨달은 다른 아이들이 허둥지둥 소연에게 달려가 어떻게 하냐고 울면서 물었다. 소연은 소연 무리 중 수영을 할 줄 알았던 아이에게 온유를 건져오라고 시켰다. 머리카락과 옷이 피와 물이 섞인 채로 젖어있었다. 마치 시체 같은 온유의 모습에 대충 강물로 피를 씻어내고는 집으로 보냈다. 그리고 대회는 흐지부지 끝이 났다.

집에 돌아온 온유는 집에 가는 와중에도 부모님께 말 잘하라면서 보였던 소연의 싸늘한 눈빛을 떠올리고는 둘러댈 말을 생각했다. 하지만 그게 먹힐 리 없었다. 샤워를 하고 이마에 거즈를 붙였지만, 지혈까지는 할 줄 몰랐던 온유인지라, 피는 계속 거즈를 적시며 흐르고 있었다. 온유의 이마를 본 온유의 엄마는 당장 자초지종을 물었다. 온유는 최대한 자신이 혼자 놀다가 다쳤다고 말했다. 이미 밖에서 친구들과 논 것을 엄마도 알기에 그것까지는 거짓말하지 못했지만, 친구들은 얌전히 놀고 있었고 자기 혼자 바위에 올라가 보려다가 넘어져서 다쳤다고 했다. 어쨌든 온유는 바로 응급실에 갔고 여섯 바늘이나 꿰맨 후 집으로 돌아왔다. 그리고 온유네 엄마는 학교에 전화해 이 일에 대해 물었다. 학교는 크게 생각하지 않고 좋게 넘어가려고 했으나, 온유네 엄마가 언론에 알린다고 하자 그제야 조사에 들어갔다. 온유는 선생님들께 엄마에게 했던 말을 똑같이 말했고, 일을 크게 만들고 싶지 않았던 학교는 온유의 말을 믿기로 하고 칭찬해주었다. 친구도 살리고 학교도 살린 아주 착한 아이라고. 사실, 학교는 어릴 적부터 봐온 소연의 행실로 이번 일도 소연이 관련되어 있을 것임을 짐작은 하고 있었다. 그래서 혹시 온유의 엄마 귀에 이 사실이 들어갈 것을 대비해 소연을 비롯한 다른 아이들에게는 단단히 주의를 주었다.

그 주의를 받은 후로 소연이 온유에게 '착한 척하는 아이'라는 별명을 붙인 것이다.

온유가 이렇게 소연 무리에게 당해 온 지는 1년이 넘었다. 푸릇한 잎새가 돋아나고 따뜻한 기운이 몰려올 즈음인 5월, 온유는 새로운 곳에서 따뜻한 바람을 맞지 못했다.

갑자기 들린 이사 소식은 온유에게 청천벽력 같았다. 아빠의 직장 때문에 잘 지내고 있던 곳을 떠나야 했다. 어릴 적부터 같이 지내온 단짝 친구들이 있었고 먹을 것이 있으면 항상 챙겨주시던 친절하고 따뜻한 아주머니와 이웃이었다. 온유는 이전에 살던 곳을 아주 마음에 들어 했다. 하지만 행복은 영원하지 않았고 온유는 결국 이사를 갔다.

온유가 이사 가게 된 곳은 살던 곳과 꽤 떨어진 시골이었다. 어느 지역에나 있을 법한 동네였지만 특별히 다른 점은 하나, 동네를 둘러싼 울창한 숲이었다. 숲에는 단 하나의 길만이 있었는데, 그 숲에서 유일하게 동네로 들어갈 수 있는 길이라고 했다. 온유네는 그 길을 통과하고 있었다.

숲은 이상하리만큼 조용했다. 산이 별로 없는 지역에서 큰 숲이 떡하니 있는 이런 곳이 유명하지 않을 리 없는데, 이상하게도 숲은 사람 손을 탄 흔적이 없었다. 거기에 해가 다 가려질 정도로 울창한 나무들이 더해져서 확실히 숲은 지나치며 보는 데도 스산했다.

온유네 엄마가 숲을 통과하는 차 안에서 저 안의 동네 이름을 말했다. 동네는 원래도, 사람들 사이에서도 '숲속 마을'이라고 불린다고 했다. 온유는 창밖의 숲을 바라보며 신기한 마을이라고 생각했다.

숲속 마을은 겉보기에는 다른 마을과 별다르지 않았다. 단지 숲속에 둘러싸여 왕래가 적은 탓이었는지 그들은 확실히 외부인을 받아들이는 데 그다지 수용적이지 않았다. 그래서 그들끼리는 유대가 끈끈했고 그 유대는 전학 첫날 학교에서도 느낄 수 있었다.

온유가 처음 정문을 발을 디딜 때부터 운동장과 건물 밖에 있던 아이들의 시선이 끈덕지게 달라붙었다. 교무실에서 담임 선생님을 따라 교실로 들어갔다. 역시나 교실 문을 열고 들어가자마자 안에 있던 아이들이 일제히 온유를 쳐다봤다. 선생님은 그런 아이들의 모습은 보지도 않고 자기가 들고 온 출석부만 계속 확인하다가 뒤늦게야 온유를 소개했다.

"아, 이번에 우리 마을에 온 아이야. 이름은 이온유. 친하게 지내도록."

무심한 듯 어색한 듯 온유를 소개한 선생님은 이내 온유에게 자리를 알려주고는 나가버렸다. 온유는 어색하게 자리에 앉았다. 선생님도 나가고 온유도 자리에 앉았지만, 아이들은 아무도 말을 걸지 않았다. 좀 전까지 쳐다보던 눈들은 하나 같이 앞을 향해 있었다. 단 한 쌍의 눈만 빼고.

"야, 너 어디서 왔어?"

말소리는 바로 뒤쪽에서 들려왔다. 그곳에는 처음 교실에 들어왔을 때는 보이지 않던 싸늘한 눈빛을 가진 여자아이가 있었다. 그 아이의 눈을 마주 보며 대답하려다가 살짝 더듬었다. 주눅 들고 싶지 않아도 저절로 몸을 웅크리게 만드는 눈빛이라 어쩔 수 없었다.

"엥. 거기가 어디임. 야, 너 거기 알아?"

옆자리에 앉아있던 여자아이한테 물어본 것이었다. 말을 늘어뜨리며 눈치를 보는 것이, 그 여자아이도 잘 모르는 듯해 보였다. 빨리 대답을 해줘야 할 것만 같은 상황에 온유가 재빨리 말해주었다. 하지만 눈치를 보던 아이는 온유를 째려봤다. 마치 자기가 할 대답을 왜 네가 했냐는 듯이. 눈치 보던 아이 주변에 앉아있던 남자애들 둘이 분위기를 쓱 보더니 거들었다. 고소연이 너한테 물어본 거 아니지 않냐고 말했다. 아마도 싸늘한 눈빛을 가진 그 아이가 고소연인 것 같았다. 두 남자아이가 소연의 눈치를 보면서도 뻘쭘해진 여자아이를 놓고 킥킥대며 웃었다. 온유는 전학 첫날부터 긴장감 도는 이 분위기를 어찌해야 할지 몰라 눈치만 보며 가만히 있었다. 걱정과 달리 그 뒤로 별다른 일은 없었고 소연도 딱히 온유에게 관심을 크게 주지는 않았다.

하지만 일은 그로부터 며칠 후에 일어났다.

"숙제 해온 사람? 오늘까지였지?"

선생님의 말씀이 떨어지자마자 반 아이들이 잠시 자기들끼리 눈치를 쓱 한번 주고받았다. 그리고 누군가가 숙제가 없었다고 반박하려던 찰나, 주섬주섬 숙제를 꺼내고 있던 온유와 눈이 마주쳤다. 그리고 불행하게도, 선생님마저 그런 온유를 발견했다.

선생님은 숙제해 온 다른 아이들은 없는지 물었다. 하지만 반 아이 중 그 누구도 손을 들지 않았다. 숙제를 해온 사람은 온유 단 한 명이었다.

"다 밖에 나가. 운동장 다섯 바퀴."

국어 글쓰기 숙제였다. 온유도 잊고 있었지만, 혼나는 걸 무척이나 무서워했던 터라 밤을 새워 겨우 다 했다. 그런데 문제는 온유 빼고는 아무도 숙제를 해 오지 않은 것. 아니 어쩌면, 해왔음에도 선생님 앞에 내밀지 않았을 수 있다. 왜냐면 소연이 숙제를 안 해왔기 때문이다. 이 광경을 보고 온유는 직감했다. 뭔가 잘못되었다는 것을.

아이들은 숨을 헐떡거리며 운동장 다섯 바퀴를 꼬박 채우고 들어왔다. 들어오는 아이마다 아주 작게 욕을 지껄였다. 마치 온유 보고 들으라는 듯이. 그리고 마지막으로 소연이 들어왔을 때 온유는 자기를 바라보는 그 눈빛에서 살기를 느꼈다. 숨이 차 헐떡이는 중에도 소연은 온유를 죽일 듯이 노려봤고 옆에 앉아있던 소연 무리는 이따금 온유를 쳐다보며 자기들끼리 쑥덕대고 있었다.

그 뒤로 온유는 전학 첫날 온유에게 말 걸었던 네 명으로 이뤄진 '고

소연 무리'의 놀잇감이 되었다. 정확히는 그 무리와 반의 대장이었던 소연의 놀잇감이었다. 반에 놀잇감이 온유만 있던 건 아니었지만 가장 만만한 놀잇감은 온유였다.

소연 주도하에 괴롭힘은 사소한 것부터 시작되었다. 지나갈 때 슬쩍 발 걸어 넘기기, 아닌 척 어깨 치고 가기 등 치졸한 괴롭힘이었다. 먼저 소연이 단짝 여자아이에게 시키면 그 아이가 몇 번의 예시를 보이고 다른 남자아이 둘이 이를 따라 하며 괴롭힘으로 굳혀졌다. 온유가 치고 간 거냐고 기어가듯 물어보면 네가 치고 간 것 아니냐며 오히려 화를 냈다. 이렇게 소연은 먼저 온유의 기를 죽였다. 다음으로는 반 안에서 공개적인 망신을 몇 번 주었다. 고의로 이동수업 장소를 잘못 전달한다든가, 발표할 때 쭈뼛거리는 온유를 작게 비웃는다든가, 삼삼오오 모여서 수군거리며 온유를 흘겨봤다. 어쩌면 온유를 놓고 말하지 않았을지도 모르지만, 도저히 온유를 욕하지 않았다고 보기 어려웠다. 이렇게 점점 온전히 온유를 자기 손안에 가두고 놀 수 있도록 길들였다. 길들여진 것 같으니, 이제는 정말로 가지고 놀았다. 숙제나 청소를 대신 하게 하는 것은 물론, 남자 화장실에 기어들어 갔다가 기어서 나오게도 시키고 교장실 문 두드리고 도망치기, 무작위로 남자아이들에게 공개 고백 등도 시켰다. 그리고 꼭 이 모든 것을 영상으로 남겼다. 온유도 처음에는 그냥 몇 번 괴롭히는 건 줄 알았다. 하지만 꾸준히 받는 적대적인 시선과 말투, 반 아이들의 비웃음, 조종당하는 자신에 대한 비참함과 선생님들의 무관심까지. 소연이 활개치기 최적인 장소에서 온유는 점점 그 분위기에 침식되어 갔다.

그리고 소연의 괴롭힘 유형은 한 가지 더 있었는데, 바로 방과 후에 불러내는 것이었다.

토요일 오후, 온유의 집 앞으로 고소연 무리가 찾아왔다. 아무것도 모르는 엄마는 밖에 친구들이 기다린다며 온유를 밖으로 내보냈고 온유는 마지못해 나갔다. 하필 온유네가 소연 무리가 사는 곳과 가까워 하교 후에도 얼마든지 쉽게 불러낼 수 있었다.

온유가 무리를 따라 도착한 곳은 학교 옆 보건소였다. 주말이라 아무도 없는 보건소 앞에 소연을 중심으로 웅크려 앉아서 모여있는 무리의 모습은 누가 봐도 일진 같았다. 긴장한 표정이 역력한 온유에게 보건소 창문을 가리키며 소연이 말했다.

"야, 저기로 들어가서 밴드 좀 가져와 봐. 캡스 안 울리고 나오면 만 원 줄게."

안 하겠다고 겨우 버티고 있다가 결국 다른 괴롭힘 영상이나 찍히고 저녁이 되었다.

"소연아… 나 이제 엄마가 찾으실 텐데… 이제 가면 안 될까?"

하지만 어림도 없는 소리였다. 어차피 온유네 엄마는 애들이랑 놀고 온다고 하면 저녁때까지는 딱히 문제 삼지 않았기 때문이다. 소연이 재촉했다. 빨리 안 들어가면 월요일 오후에 후회하게 될 거라고 했다. 어쩔 수 없이 온유는 보건소 창문을 조심스럽게 열었다.

[삐용삐용]

온유가 들어가고 얼마 후, 당연하다는 듯이 경보음이 울렸다. 혼비백산이 된 온유는 밴드고 뭐고, 일단 빨리 나가려고 했다. 하지만 안타깝게도 경보업체는 일찍 도착했고 밖에서 도망가려고 했던 소연 무리도 잡혀버렸다. 그렇게 모두 경찰차를 타고 파출소에 가게 되었다. 온유가 파출소 의자 옆에서 안절부절못하는 와중에 온유를 제외한 다른 아이들은 비교적 괜찮아 보였다. 온유가 의아하게 쳐다보는 와중에 파출소에 웬 처음 보는 아저씨가 들어왔다. 그 경찰은 소연에게 다가가 다친 곳이 없는지 살폈다. 소연이 이 사건의 주동자였음에도 그런 건 딱히 중요해 보이지 않았다. 그리고 그 아저씨가 파출소에 있던 경찰들에게 뭐라고 말하자 잠시 뒤 아이들은 모두 파출소에서 나갈 수 있었다. 그리고 소연 무리는 소연에게 고맙다는 말을 한마디씩 했다. 한 아이가 온유를 보며 어서 소연에게 말하라는 듯한 고갯짓을 보였다. 온유가 무슨 말을 해야 할지 몰라 하자, 툭 치며 이렇게 말했다.

"야, 너도 고소연 때문에 저기서 나온 거야! 빨리 고소연한테 고맙다고 해. 저 아저씨가 고소연이랑 친해서 꺼내 준 거니까."

파출소에서 무리를 뒤따라 나온 그 아저씨를 가리키며 말했다. 그러자 그동안 소연이 왜 그렇게 떳떳하게 아이들을 주동하고 괴롭혀 왔는지 알았다. 그리고 깨달았다. 자신은 이 아이들에게 어떤 반격도 할 수 없다는 것을.

그렇게 온유는 어떠한 반항도 하지 못한 채 묵묵히 소연 무리의 노리개 역할을 해오고 있었다.

착한 척하는 애' 딱지에서 겨우 벗어나 집으로 터벅터벅 걸어가는 온유에게 그런 생각이 들었다.

"죽으면 벗어날 수 있는데."

지금, 이 상황에서 벗어날 수 있는 다른 방법은 떠오르지 않았다. 착한 척은 내일 학교에 가면 어차피 다시 붙을 꼬리표였다. 내일이 오지 않는 일은 없을 테니 직접 내일을 없애기로 마음먹었다. 그렇지만 죽는 것은 무서웠기에 안 아프게 죽고 싶었다. 그러자 스치듯이 기억이 하나 떠올랐다.

"아, 그때 숲속에다가 누가 뭘 버렸다고 했던 것 같은데…"

며칠 전, 숲속에 버려진 독극물을 마을 할아버지가 모르고 조금 주워 가셨다가 위험할 뻔했다는 이야기가 생각났다. 그래, 그거다. 할아버지는 독극물을 만지기만 하고 아프지도 않으셨다는데, 그다음 날 이웃 할머니께 쓰러진 모습으로 발견되셨다고 했다. 그리고 조금만 가져가셨다고 했으니 아직 남은 독극물이 숲속 어딘가에 있을 것이다. 온유는 곧장 숲으로 향했다.

사그락거리는 풀숲을 헤치며 그 할아버지 댁 주변 숲으로 향했다. 역시 사람 손이 타지 않은 숲이라 숲길이 따로 만들어져 있지는 않았다. 그 덕에 온유의 다리는 풀잎에 베여 상처가 생겼지만, 아랑곳하지 않고 계속 걸어갔다. 울창한 숲에 해까지 슬슬 지려고 했지만, 있을지도 모르는 그 독극물을 꼭 찾아야만 한다는 생각으로 더 깊숙이 들어갔다.

겨우 도착한 온유는 온 풀숲 바닥을 뒤지기 시작했다. 그렇게 20여 분이 지났을까, 갑자기 주머니 속 핸드폰 진동이 느껴졌다. 숨이 턱 막히며 드는 생각은 하나였다. 고소연 무리일까. 하지만 다행히도 핸드폰 화면에는 고소연 무리 중 누구의 이름도 뜨지 않았다. 다만 '발신번호표시제한'이라는 문구만 떠 있었다. 화면을 보고 무서워진 온유는 전화를 받지 않았다. 그러자 문자가 왔다.

'전화 한 번만 받아줘.'

숲속 마을로 이사 온 이후로 온유에게 이런 말투의 문자를 보낸 사람은 없었다. 그리고 번호 없는 전화가 다시 울렸다. 경계심이 더 강해져서 온유는 이번에도 받지 않았다. 또 문자가 왔다.

'나도 친구가 필요해.'

친구가 필요하다. 그 말을 보고 온유는 멈칫했다. 나처럼 친구가 필요한 사람이 또 있구나. 자신이 도와주어야 할 것만 같은 느낌이 들었다. 전화는 다시 한번 더 울렸고 침을 한번 꿀꺽 삼킨 온유는 조심스레 수신 버튼을 눌렀다.

"여보세요."

"…"

이상하게 대답이 들려오지 않았다. 순간 보이스피싱일지도 모른다는 생각에 얼른 끊으려고 하는 찰나, 음성이 들려왔다.

"… 여보세요?"

하지만 여전히 걱정되는 마음과 얼른 독극물을 찾아 집에 가야 한다는 생각 때문에 대답하지 않은 채 풀숲을 뒤졌다.

"여보세요? 거기 온유니?"

잠시만. 지금 저기서 뭐라고 했지. 온유라고? 온유는 찾던 걸 멈추고 정말 자기 이름이 불린 게 맞는지 생각했다. 아무리 들어도 온유라고 말한 게 맞는 것 같다는 생각이 들 때쯤, 다시 한번 온유의 이름이 불려 왔다.

"온유야, 온유 맞지? 안녕! 난 '솔'이라고 해. 이 숲에서 살고 있어. 반가워, 이제야 만났네!"

이 숲에 살고 있다니. 무슨 말이지. 이곳에서 살던 1년 동안 그런 이름은 들어본 적이 없었다. 더군다나 숲에 살고 있다니. 숲은 마을과 왕래도 없고 길도 없고 집도 없고 아무것도 없었다. 그래서 조심스럽게 혹시 보이스피싱인지 물었다. 그러자 솔이 깔깔 웃으며 대답해 줬다. 솔은 숲에 사는 요정이고 마을에서 일어나는 일은 대부분 알고 있다고 했다. 그래서 온유도 알고 있었던 거였다. 언제 한번 꼭 말을 붙여 보고 싶었다는 솔의 목소리에서 반가움이 물씬 묻어났다. 그런데 가만히 듣던 중, 의문이 생겼다.

"요정이면 그냥 나타나서 얘기하면 되지 왜 핸드폰으로 전화해요..?"

"아 사람 눈에는 내가 안 보여서 말을 걸려면 수단이 조금 필요했어.."

머쓱해한 요정이 말을 이었다.

"그나저나 너 여기서 뭐 하고 있는 거야? 시간도 늦어서 어두워졌는데."

숲은 벌써 해가 지고 어두워지는 중이었다. 그제야 정신을 차린 온유는 마음이 급해졌다. 저녁이 되면 엄마가 부를 것이고 자칫하면 엄마가 온유를 찾으러 동네를 뒤질 수도 있다. 그러면 온유의 안 아프게 죽기 계획은 모두 물거품이 될 것이다. 어쩔 수 없이 다음을 기약하며 집으로 향했다. 전화는 온유가 일방적으로 끊었지만, 끊은 줄도 모른 채 빠르게 숲을 벗어났다.

그렇게 다음 날, 온유는 하교 후 지친 몸을 이끌고 다시 숲으로 향했다. 어제는 그 요정인가 뭔가 때문에 못 찾았지만, 오늘은 반드시 찾아내겠다 다짐하고 들어갔다. 어제와 같은 장소에 도착했을 즈음, 다시 전화가 걸려 왔다. 무시했지만 계속 울리는 진동 소리와 어제 친구가 필요하다던 그 말이 마음에 걸려, 일단 받아보기로 했다.

"여보세요..?

"오, 전화 받아줬네! 히히. 나 솔이야!"

솔은 왠지 모르겠지만 굉장히 신난 말투로 말했다. 빨리 독극물을 찾고 집에 가야 하는데 신나게 말하는 솔을 보니 괜히 마음이 약해져서 얼른 통화를 끝내고 찾기로 하며 온유는 통화를 이어갔다.

이야기를 들어보니 솔은 마을에서 일어나는 웬만한 일들은 전부 알고 있었다. 사람들 간의 관계며, 마을에서 진행되는 행사, 누구네 집 강아지가 아파서 동물 병원에 갔다 온 이야기까지 알고 있었다. 어떻게 그렇게까지 세세하게 아냐고 물으니, 숲에서도 다 들린다고 했다. 그리고 은근히 사람들이 숲 근처에 와서 괜히 이런저런 얘기를 털어놓기도 한다고 그랬다. 대신 늦은 저녁 시간이나 아주 이른 아침에 왔기에 대부분이 그런 사람을 보지 못한 건 당연하다고 했다. 은근히 신기했다. 이런저런 얘기들을 다 알고 있구나. 그리고 솔이 뜸을 들이며 말했다.

"..네 얘기도 알아. 네가 찾는 게 뭔지도. 너.. 그 저번에 할아버지가 만지고 쓰러졌다는 그 독극물 찾는 거지?"

다 알고 있다면 자신의 이야기까지 다 알고 있을 텐데 그걸 생각하지 못했다. 온유는 부끄러워졌다. 마치 발가벗겨진 것 같은 기분이 들어서 마구 끊어버리려고 할 때였다.

"많이 힘들었겠다."

딱 한 마디였다. 그 한마디를 듣고 갑자기 눈물이 왈칵 쏟아졌다. 어쩌면 온유는 누군가의 이 말 한마디를 기다리고 있었던 것일지도 몰랐다. 눈물을 식혀주려는 듯 바람도 살랑거리며 온유의 머리칼을 스쳐 지나갔다. 쓰다듬는 바람에 맞춰 스르륵 그 자리에 주저앉아 버렸다.

온유는 사실 죽기 무서웠다. 죽음은 누구에게나 무서운 것이듯 초등학교 6학년인 온유에게도 죽음은 무서웠다. 하지만 그렇게라도 하지 않으면 벗어날 수 없을 것 같았기에, 영원한 고통을 겪느니 죽는 게 나을 것 같았기에 생각해 낸 마지막 수단이었다. 그리고 그런 온유의 마음을 알아주기라도 하듯 생각지도 못한 대상에게서 따뜻한 말 한마디를 듣게 되었다.

온유는 펑펑 울었다. 해가 점점 기울고 있었고 어서 집에 가야 했지만, 한 발짝도 움직일 수 없었다. 그 자리에서 한참 동안 울음을 쏟아내던 온유는 핸드폰을 붙잡고 서러움의 말들을 내뱉었다.

"내가, 내가 진짜로 얼마나 힘들었는데... 흑흑... 엄마한테 말하지도 못하고 신고도 못하고 애들은 계속 눈치 주고 고소연 걔네는 맨날 나 괴롭히고... 흑흑... 나 걔네랑 진짜 놀기 싫었단 말이야... 흑... 학교에서도 맨날 눈치 보는데 끝나고 나서도 내가 그래야 해? 흑흑... 나 진짜 너무 힘들었다고…"

"그러게... 진짜 힘들었겠다. 무섭고 보기 싫었지. 매일 눈치도 보느라 얼마나 힘들었어. 나도 걔네 혼내주고 싶었어."

"흑... 그럼 혼내주지 그랬어..."

"미안… 요정은 인간에게 직접적인 마법은 쓰지 못해. 그리고 난 숲의 요정이라 숲 안에서만 능력을 쓸 수 있거든. 그래서 네가 숲에 찾아왔을 때 전화도 걸 수 있었던 거고."

"요정이 뭐 그래…"

"대신, 걔네가 숲 근처에 왔을 때는 솔방울이랑 밤송이도 막 떨어뜨리고 숲이랑 그나마 집이 가까운 고소연네에는 겨울에도 바람 엄청 들게 했어..!"

겨우 그까짓 걸로 혼내줬다고 말하는 거냐고 온유는 화냈지만, 온유도 솔도 진심으로 낸 화가 아님을 알았다. 둘은 웃음을 터뜨렸다. 솔은 다음에도 힘든 일이 있으면 언제든지 놀러 오라고 했다. 언제든지 전화 걸어주겠다고. 숲 안은 완전히 해가 지고 바깥도 거의 어두워진 것이 보였다. 이제는 정말 집에 가야 할 시간이다. 어두운 숲길을 어디서 나타났는지 모를 반딧불이들이 비춰주었다. 솔의 능력은 생각보다 대단하진 않아도 온유에게 든든한 편이 되어주기엔 충분했다.

둘은 학기가 끝나가던 그때부터 여름방학까지 다섯 번 정도 더 만났다. 그리고 겨울이 되었다. 여전히 온유는 간간이 숲속에 놀러 갔고 그들은 이미 둘도 없는 친구 사이가 되어 있었다. 아무리 학교에서, 그리고 방과 후에 소연 무리에게 괴롭힘을 당해도 온유는 괜찮았다. 정확히는 버틸 수 있었다. 비록 소연 무리에게 불려 가지 않은 날에만, 그나마도 바깥보다 더 빨리 어두워지는 숲 탓에 얼마 만날 수도 없었지만, 솔에게 미주알고주알 털어놓을 수 있었기 때문이다. 더 이상 혼자서만 끙끙 앓지 않아도 됐다. 솔은 매번 온유의 말을 가만히 들어주었고 이따금 같이 화를 내거나 맞장구를 쳐줬다. 별거 아닐지 몰라도 온유에게는 그것만큼 힘이 되는 것도 없었다.

그렇게 영원할 것만 같았던 시간도 끝날 조짐을 보였다. 온유가 중학교로 올라갈 때는 다른 지역으로 이사하게 될 것 같다는 엄마의 말때문이었다. 가족 다 함께 저녁을 먹는 중에 듣게 됐다. 온유는 순간목이 턱 막혀 물을 마셔야 했다. 온유는 너무너무 좋았다. 하루라도, 한시라도 빨리 이 이상한 마을에서 벗어나고 싶었다. 다만 마음에 걸리는 건 솔이었다. 비록 짧은 시간이었지만, 둘은 정말 많은 이야기를 나눴고 위로받았으며 든든한 버팀목이 되어주었다. 솔도 아주 오랜만에 사람과 대화할 수 있어 요즘 심심하지 않은 하루들을 보낸다고 했다. 그런 솔에게 갑자기 자신이 떠나게 됐다는 말을 꺼내기는 쉽지 않았다. 솔의 실망한 목소리를 들을 자신이 없었다. 몇 번의 고민을 거쳤지만, 결국 언제 말해야 할지 정하지 못한 채 잠자리에 들었다.

그리고 겨울 방학을 며칠 앞둔 어느 날, 그날도 온유는 숲속에 갔다. 엊그제도 왔었지만, 솔과의 만남은 언제나 즐거웠다. 추운 겨울, 장갑과 귀마개까지 단단히 쓰고 사부작거리는 눈길을 헤쳐서, 매번 만났던 그 장소에 다다랐다. 추운 날씨 탓에 코끝이 빨개진 온유가 솔을 불렀다.

"솔아!"

요즘은 이렇게 부르면 솔이 전화를 주기도 했다. 그렇게 솔은 언제나 핸드폰 진동을 울려주었다. 그런데 그날은 이상했다. 아무리 솔을 불러도 핸드폰은 울리지 않았다. 핸드폰 화면을 몇 번이나 확인하고 부재중도 확인했다. 하지만 해가 져서 어두워지도록 여전히 솔의 답은 없었다. 그렇게 가만히 기다리다 보니 갑자기 숲속에 혼자만 놓여있는 느낌이 들어 무서워졌다. 안 그래도 사람이 다니지 않던 숲인데 겨울 저녁, 어두움에 스산함이 더해진 그곳은 정말 무서웠다. 온유는 당장 바깥으로 뛰쳐나갔고 그길로 집까지 곧장 뛰었다. 그 숲이 그렇게 무서운 곳이었다니. 솔 하나만 없는데도 그곳은 다른 곳 같았다. 왜 솔이 대답하지 않았는지 잠자리에 눕기 전까지 생각하다가 그렇게 잠이 들었다.

며칠 후 다시 숲에 들렀다. 이제는 이사가 정말 코 앞까지 다가왔기에 꼭 말해야 했다. 이번에는 솔이 있길 바라는 마음으로 도착했다.

"솔아!"

핸드폰에 진동이 울리길 간절히 바라는 마음으로 솔을 불렀다. 역시나 핸드폰은 조용했다. 할 수 없이 되돌아가려던 찰나, 온유의 핸드폰이 울렸다.

'발신자표시제한'

솔이었다. 반가운 마음으로 온유는 얼른 전화를 받았다.

솔아! 너 솔이 맞지?"

"응! 나 솔이야! 온유, 그동안 여기 왔었어?"

"당연하지. 너한테 할 말 있어서 불렀는데 계속 불러도 진동이 안 울려서 걱정했어."

"아, 나 잠시 마법 점검 기간이었는데 말해준다는 걸 까먹었어. 미안. 그동안은 내가 마법을 쓸 수 없거든. 근데, 무슨 일이야?"

"맞다, 나 할 말 있었지. 그게… 사실 나 곧 이사가. 중학교부터는 다른 곳에서 다니게 될 거야. 그리고 이사 가면 너도 못 볼 거고… 그래서 이걸 어떻게 말해야 할지 고민했는데 너까지 전화를 안 걸어주는 거야! 걱정 진짜 많이 했다고. 아무튼, 나 인사하러 왔어."

조금 눈물이 고인 온유였지만, 솔에게 들키지 않으려고 침을 꼴깍 삼켰다.

"온유 이사 가는구나… 말 못 한 건 미안해. 걱정 많이 했겠다. 더군다나 나는 눈에 보이지도 않으니까."

솔의 풀 죽은 목소리를 들은 온유는 괜히 자기가 잘못한 것만 같아 미안한 마음이 들었다.

"앞으로 못 보게 되는 건 아쉽네! 그래도 그동안 대화해서 즐거웠어. 사람들 목소리 맨날 듣기만 했었는데, 대화도 해볼 수 있어서 좋았어. 내 매일을 즐겁게 해줘서 고마워."

그 말을 들은 온유는 펑펑 울었다. 앞으로 이정도까지 친한 친구는 만날 수 없을 것 같았다.

"나도 고마워! 너 때문에 살 수 있었어. 그때 전화 걸어줘서 고마웠어. 앞으로 너 같은 친구는 못 만날 거야. 평생 안 잊을게."

둘은 한참 동안 그 자리에서 울었다. 겨울밤 숲속은 어떤 불빛도 없어 아주 새카맸지만, 온유는 무섭지 않았다. 솔이 있었기 때문이다.

그리고 온유는 그렇게 숲속 마을을 떠났다.

이후, 20살이 된 온유는 대학에 들어갔다. 솔과 헤어지고 난 이후, 솔이 위로해 줬던 말들을 생각하며 중학교, 고등학교도 힘들었지만 잘 견뎠다. 그리고 성인이 된 지금, 온유는 신입생 환영회에 참석해 있다. 학과는 상담학과였다. 온유는 그동안 솔에게 받은 도움을 자기도 누군가에게 줄 수 있길 바랐다. 관련 진로를 찾다가 심리 상담이라는 분야에 관심이 생겼고 대학 진학 또한 과를 보고 입학했다.

그래도 여전히 또래가 많은 곳은 힘든 온유였기에 신입생 환영회에서 빨리 나오려고 했다. 겨우 빠져나온 온유는 환영회가 한창인 가게 앞에 놓인 푯말을 봤다.

'상담학과 신입생 환영회'

자신이 얼마나 이 학과를 꿈꾸며, 정확히는 솔과의 만남을 기억하며 여기까지 왔는지 모른다. 스스로가 너무 기특한 느낌이 들어서 어깨를 연신 쓰다듬던 중, 손에 쥐고 있던 핸드폰에서 진동이 울렸다.

'신입생 환영회인 건 알지만, 11시 통금인 거 알지?'

엄마의 문자였다. 얼른 들어가야겠다고 생각하다가 문득 솔과의 만남이 생각났다. 솔과의 첫 만남도 방금 그 장면이랑 똑같았다고 생각하자, 그때의 추억이 떠오르며 솔이 너무 그리워졌다. 그래서 온유는 이번 여름방학에 숲속 마을로 내려가 보기로 했다.

다시 내려간 숲속 마을은 변함이 없었다. 여전히 울창한 숲으로 둘러싸여 있었고 마을에 있는 집도, 풍경도, 맑은 날씨도 여전했다. 다만 시간이 흐른 탓에 마을 사람들은 더 적어진 듯했다. 학교 운동장에서 노는 아이들의 수도 현저히 적었다. 예전에 살던 집도 들러 봤다. 소연 무리가 드나들며 불러냈던 대문과 마당도 여전히 남아있었다. 기억이 떠오르는 듯해 조금 눈살이 찌푸려졌지만, 이내 고개를 휘휘 젓고 집을 나왔다. 집을 나와서는 곧장 숲으로 갔다. 그 독극물 할아버지 댁 근처에 있던 숲이었다. 여름이라 풀이 우거진 탓에 풀숲을 헤치고 나가야 했지만, 이제 온유의 살갗에는 상처가 나지 않는다. 튼튼한 바지를 입고 성큼성큼 걸어 나갔다.

그 장소에 도착하기 바로 전, 갑자기 온유는 발걸음을 멈췄다. 어쩌면, 그냥 이대로 솔을 어릴 적 추억으로 남겨두어도 괜찮겠다는 생각이 들었다. 이젠 솔에게 찾지 않아도 되겠다는 생각이 들었다.

그리고 솔이 들을지도 모르는 말을 허공에 쏟아냈다.

"안녕, 솔아! 나 온유야. 너무 오랜만이지. 7년 만에 인사하러 와서 미안해."

정말 이렇게 허공에 대고 말하니 꼭 솔이 듣고 있는 것만 같았다.

"근데 솔아, 나 상담학과 들어갔다? 너를 조금 본받고 싶었거든. 넌 내 마지막이었을 수도 있던 순간에 나를 살려준 사람 아니, 요정이잖아. 네가 그때 나한테 전화 걸어서 위로의 말을 해주지 않았다면 난 이 자리에 없었을지도 몰라. 그 고마움을 다른 사람들에게도 나누고 싶었어. 단지 그뿐이야. 누군가의 마지막 순간에 나도 손 내밀어 주기 위해서."

온유는 쑥스러운 듯 푹 주저앉아 손가락으로 흙바닥을 쓸었다.

"그동안 네 덕분에 잘 버텼어. 정말 고마워."

솔에게 참아 왔던 말은 다 했다. 온유는 후련한 마음으로 웃으며 말했다.

"그럼, 나 가볼게. 솔아, 잘 지내."

그렇게 온유는 아쉬움을 남기며 숲 어딘가에 있을 솔과 헤어졌다. 숲은 역시나 빨리 어두워졌고 밖은 해가 뉘엿뉘엿 지고 있었다. 온유는 아쉬운 마음에 천천히 발걸음을 옮겼다. 마을을 빠져나가는 숲속의 유일한 길, 그 길을 걸어가며 온유는 다시 한번 솔에게 인사했다.

"안녕, 나의 요정님. 고마웠어요."

빛과 어둠 사이

예빛

예빛　빛과 어둠 사이'는 두 인물의 따뜻한 만남과 사랑, 용기를 그려냈다. 과거의 상처와 두려움을 극복하며 성장하는 두 사람의 따뜻한 만남은, 어떤 어려움에도 사랑과 용기로 극복할 수 있다는 믿음을 우리에게 심어준다.

블로그: https://blog.naver.com/yebin931222
이메일: yebin931222@naver.com

루미에와 검은 마을

　무지개 빛이나는 루미에의 풍경은 찬란하게 빛났다. 파란색에서 분홍색, 그리고 보라색까지의 풍경은 바다의 물결에 은은한 무지갯빛을 띠게 했다. 루미에의 건물들과 나무, 동물들 모두 무지갯빛의 아름다움을 자랑했다. 루미에는 평화와 조화로운 삶의 상징으로 알려져 있었다. 그런데도 루미에의 눈부신 무지갯빛 풍경과는 정반대의 세계, 검은색 마을이 있었다. 검은색 마을은 루미에의 규칙을 어기고 추방된 자들이 모여 있는 곳이다. 그들은 루미에의 아름다운 세계에 대한 분노와 원한으로 가득 차 있었다. 그들의 마음속은 어둡고 차가운 욕망으로 가득 차 있었으며, 루미에를 검은색으로 변화시키는 것이 목표였다. 검은 마을의 거리는 불빛 하나 없이 어둠으로 가득 차 있었다. 건물들은 빛을 차단하는 검은 벽돌로 만들어져 있었고, 주민들 역시 검은 옷을 입고 얼굴을 가렸다. 그들의 존재는 루미에에게 그림자 같았다. 루미에의 중앙에 위치한 무지개 빛이나는 공원에서는 평소처럼 루시와 마디젠 잠시 휴식을 취하고 있었다. 두 사람은 루미에의 평화로운 바람에 몸을 맡기며 잠시의 여유를 누리고 있었다. 그러나 행복한 순간도 잠시, 공원의 중앙에서 검은 어둠이 치솟았고, 괴물들이 어둠 속에서 나타나기 시작했다. 크고 무서운 몸체에 검은 털, 눈동자에서는 어둠만이 흘러나왔다. 루미에의 행성에 암흑을 퍼뜨리려는 그들의 눈빛은 냉정하고 잔인했다. 루시와 마디젠은 놀라며 검은 마을에서 나온 괴물들을 바라보았다.

자개장의 비밀

비가 내리는 어느 날, 루시는 쓸쓸한 침실 창밖을 바라보고 있었다. 창문 유리에 이슬방울이 반짝이며, 우울한 분위기를 한층 더 깊게 만들었다. 루시의 마음도 마찬가지였다. 우울증에 시달리며 마음 깊숙한 곳에서 어둠과 고독을 느끼고 있었다. 그녀의 친구들은 꿈을 이루기 위해, 경력을 쌓기 위해 노력하고 밤을 지새웠지만, 그녀는 스스로 남들과 비교하고 자신의 자리를 찾지 못하여 우울감에 시달렸다. 그녀의 세계는 암흑의 세계로 빠져들었고 그 무엇도 그녀의 심장을 따뜻하게 만들지 못했다. 가슴 속 깊이 파인 상처는 무엇으로도 치유되는 길이 없어 보였다. 항상 그랬다. 그녀의 삶에 어떤 색도 존재하지 않았다. 세상은 검은색으로만 가득 차 있었고, 사람들의 웃음소리, 기쁨의 목소리는 그녀에게 다가오지 못했다. 그녀의 세상은 텅 비어 있었고, 그곳에서 지속해서 자신을 감추려 했다. 우울한 감정이 가득한 순간에서도 그녀의 소소한 안식처는 있었다.

할머니의 오래된 자개장은 루시에게 가장 특별한 공간이었다 어린 시절부터 낡고 오래된 자개장은 그녀에게 작은 안식처가 되었다. 고요하고 아늑한 장롱 속에서 그녀는 스스로를 완전히 숨길 수 있었다. 장롱 속의 암흑은 그녀를 위로했고, 세상과 그녀 사이의 경계를 만들어 주었다. 자개장 안에서, 루시는 짧은 순간이라도 자신의 상처에서 벗어나 세상의 시선에서 잠시나마 멀어져 편안함을 느낄 수 있었다. 자개장의 향기는 늘 그녀를 잠시나마 행복했던 시절로 데려가 줬다. 그 향기는 오래된 나무와, 할머니의 따스한 품을 연상케 했다. 할머니는 루시의 슬픔을 이해하지 못했다. 그녀의 슬픔을 어떻게 설명할 수 있을까? 그것은 마치 내면의 흑백 사진 속에서 탈출할 수 없는 무한의 암흑과도 같았다. 할머니의 자개장은 오래된 기억의 저장 공간 같았다. 서랍에는 할머니의 어린 시절 사진, 향수 공병, 할머니가 만든 자수가 놓인 손수건들이 가득했다. 종종 그 서랍들을 열어보며 할머니의 과거와 자신의 과거에 대해 상상해 보곤 했다.

먼지로 뒤덮인 상자를 정리하던 중 자개장 바닥 아래 작은 문이 있는 것을 발견했다. 바닥에 숨겨진 작은 공간은 수수께끼 같았다. 문 안에는 중요한 것이 있을 것만 같은 느낌이 강하게 들었다. 루시는 숨을 깊게 들이마시며 자개장의 문을 조심스럽게 살펴보았다. 이상하게도 어떠한 자물쇠나 열쇠 구멍도 보이지 않았다. 그런데도 포기할 수 없었다. 손가락으로 부드러운 나무 바닥의 표면을 미끄러지듯 탐색했다. 탐색하는 중간중간마다 무엇인가 숨겨진 것 같은 느낌이 떠나지 않았다. 곧이어 손끝에서 구석 작은 틈새를 느꼈다. 그녀의 눈동자가 기대와 흥분으로 빛났다. 손가락이 계속해서 미끄러지며 그 틈을 계속 탐색했다. 이내 시간은 정지된 듯한 느낌이었다. 오래된 자개장의 문은 서서히 미끄러지며 열리기 시작했다. 루시의 심장은 가슴 속에서 거칠게 뛰며, 숨소리만이 공간을 가득 채웠다. 루시는 잠시 행동을 멈추고, 깊게 숨을 들이마셨다. 눈 앞에 펼쳐진 작은 공간은 마치 다른 세계로 초대를 암시하는 것 같았다. 그녀는 무릎을 꿇고, 작은 박스를 손에 쥐었다. 오래된 박스는 시간에 의해 색이 바래고 자잘한 금이 갔다. 그러나 그녀에게는 그것이 무척 신비롭고 소중하게 느껴졌다. 루시의 눈은 호기심으로 빛났고, 손은 조심스럽게 박스를 열었다. 박스를 열자, 화려한 무지갯빛이 루시의 얼굴을 비쳤다. 그 안에는 작고 반짝이는 노란색 사탕이 있었다. 그녀의 눈빛에서 이 사탕은 단순한 것이 아니라는 것을 바로 알 수 있었다. 그녀는 사탕을 손에 쥐면서 말을 잇지 못했다.

화려한 무지개 색깔, 반짝이는 동그란 사탕 모양. 이 상황은 꿈에서도 본 적 없는 것이었다. 그녀는 사탕을 바라보며 깊은 생각에 잠겼다. 그녀의 마음속에서 작은 목소리가 '먹어봐.' 라고 속삭이는 것 같았다. 그녀는 서서히 입을 열며 사탕을 천천히 입안으로 넣었다. 달콤함이 입 안 가득 퍼지면서, 루시의 세상은 점점 희미해졌다. 달콤함이 퍼지던 바로 그 순간, 루시의 세계는 희미해졌고, 모든 것이 변했다. 마치 하늘을 나는 것처럼 느껴졌다. 여태 경험해본 적 없는 마법 같은 일이 일어나고 있었다.

재빨리 정신을 차리고 눈을 떴다. 눈앞에 펼쳐진 것은 이전에 본 적 없는 새로운 세계였다. 공기는 부드럽고 달콤하게 그녀의 피부를 감쌌다. 숲을 걸어가면서 이상하지만 귀여운 동물들과 마주쳤다. 동물들은 루시를 볼 때마다 호기심 가득한 눈빛으로 쳐다보았지만, 그녀에게는 그들의 귀여움이 너무나도 환영받는 것처럼 보였다. 숲 주변은 푸른 초원과 기이한 모양의 나무들로 가득 차 있었다. 하늘에는 두 개의 태양과 두 개의 달이 동시에 떠 있었고, 무지개색 하늘은 그녀를 감탄케 했다. 이곳은 지구가 아닌 완전히 다른 별이었다. 깜깜한 어둠 같던 루시의 과거는, 이곳에서 무의미하게 느껴졌다. 루시는 이곳에서 평화와 자유로움을 느꼈고, 무엇이든 할 수 있을 것처럼 느껴졌다.

마디젠과의 만남

새로운 세계에서 한참을 걷다가, 루시는 독특한 모습의 청년을 만났다. 그의 눈빛은 깊고, 은은한 미소를 띠고 있었다.

"누구시죠?" 남자가 물었다.

그의 목소리는 마치 바람이 부드럽게 속삭이는 듯했다.

루시는 깜짝 놀라며 바라보았지만, 무언가 이곳이 안전하다고 말해주는 것 같았다. 그녀는 서서히 대답했다.

"저는 루시에요. 이곳은 어디인가요?"

"여기는 평화롭고 고요한 세계이며, 서로를 존중해 주는 '루미에'
에요."

이어서 자신의 이름은 '마디젠' 라고 소개했고, 별의 이름은 '루미
에' 라고 하였다. 밝게 빛나는 별이라고 해서 '루미에' 라고 부른다고
하였다. 마디젠의 얼굴색은 백옥처럼 하얗고, 눈은 깊은 밤하늘처럼
어두운 색에 가까운 초록빛을 띠고 있었다. 바람이 불자 그의 고운 머
릿결이 날렸다. 마디젠의 피부는 선선한 바람에 의해 살짝 붉어져 있
었으며, 그의 눈빛은 루시를 감싸주듯이 포근했다.

함께 걸어가는 길목에서, 루시는 루미에의 기이한 자연을 관찰했
다. 꽃들은 그녀를 바라보며 미소를 지었고, 작은 동물들은 그녀의 주
변을 맴돌며 환영의 노래를 부르는 듯했다. 마디젠 이끄는 대로 걷다
보니 마을로 도착했다. 그곳은 다양한 크기와 모양의 사람과 생명체
들이 활기차게 움직이고 있었다. 그들의 얼굴에는 순수하고 진실된
감정들이 오가고 있었고 그러한 모습은 루시의 마음을 따뜻하게 만들
어주었다.

"어떻게 여기까지 오게 되었나요?" 마디젠은 루시에게 물었다.

루시는 조금 당황하면서도 그의 따뜻한 눈빛에 안심하며,

"저도 잘 모르겠어요. 제가 어떻게 여기까지 왔는지도 모르겠어요."
라고 답했다.

마디젠은 진지하게 그녀를 바라보았다. 그의 눈빛은 호기심보다 이
해에 더 가까웠다.

"이곳은 때때로 필요에 의해 찾게 되는 곳이기도 해요. 루미에에 오

신 것을 환영해요."

루시는 그의 진실된 말투와 따뜻한 환영에 감동을 받았다. 마디젠은

"마을에 대해 궁금한 게 있으시다면, 제가 도와드릴게요. 무엇이든 말씀하세요." 라고 하였다.

둘은 이야기를 나눴고, 루시는 이곳에 있는 이유와 여정이 어떤 의미를 갖는지 깨닫기 시작했다. 루시가 이야기 할 때 마디젠은 따뜻한 눈빛으로 이야기를 경청했다. 루시는 자신이 살고 있는 지구에서 직장과 일상생활, 다른 사람들의 화려하고 성공적인 삶을 바라보곤 했다고 하였다. 그럴 때마다 가슴은 묵직한 불안감과 함께 무거워졌고, 다른 사람들의 빛나는 모습에는 자신의 평범한 삶이 그림자처럼 드리워져 보였다고 하였다.

마디젠은 마을의 역사와 그들이 지키고 있는 가치인 존중과 사랑 그리고 생활 방식에 대해 이야기해주었다. 그의 이야기 속에서 루시는 희망과 평온함을 느꼈고, 어떤 형태로든 자기 자신을 표현할 이유를 찾았다. 마디젠의 말소리에 귀를 기울이며, 평온함이 계속되기를 바랬다. 두 사람은 서로의 이야기와 경험을 나누며, 믿음과 이해를 깊게 나누었다. 루시는 할머니의 자개장 이후로 이렇게 따뜻하고 편안한 감정을 느낀 것이 오랜만이었다.

마디젠은 루시를 이끌고 루미에의 가장 아름다운 명소 중 하나인 하늘 정원으로 가서 그녀에게 다양한 식물과 동물들을 소개했다. 그녀는 활짝 웃으며 감탄했다. 그녀는 감탄하는 중에 궁금해졌다. 그가

자신에게 어떤 감정인지, 아니면 그저 친절한 이끌림인지 파악하려고 했다. 마디젠은 루시가 루미에의 세계를 어떻게 느끼고 있는지 궁금해했다. 그의 마음 속에서는 그녀를 위해 모든 것을 공유하고 싶은 욕구가 있었다. 그러나 동시에 그는 그녀를 압박하거나 불편하게 만들고 싶지 않았다.

저녁이 되어, 둘은 강을 따라 산책을 했다. 강물은 은은하게 반짝이며, 그 위로는 루미에 특유의 아름다운 무지개색 하늘이 펼쳐져 있었다. 둘은 서로를 바라보며 미소를 지었다, 하지만 말은 적었다. 각자의 마음속에서는 말하고 싶은 많은 것들이 있었지만, 말로 전하지 못하는 어떤 무언가가 그들 사이에 맴돌았다.

밤이 깊어지면서, 그들은 조용한 한 레스토랑에 앉아 밤하늘을 바라보며 루비색의 빵과 샴페인을 먹었다. 루미에의 음식은 화려한 색을 가졌고 지구의 음식과 맛은 별반 다르지 않았다. 은은한 불빛 아래, 마디젠은 루시의 눈빛 속에 반짝이는 별빛을 보았다. 루시는 마디젠의 안정적인, 포근한 미소를 보며 어느 정도 안도를 느꼈다.

"이곳은 정말 아름다워요" 루시 조용히 말했다.

그녀의 목소리는 약간의 떨림과 함께 따스함을 담고 있었다. 마디젠은 살며시 그녀를 바라보았다. "당신이 여기 있어서, 이곳은 더욱 아름다워졌어요."

둘 사이의 공간은 따뜻한 감정으로 가득 차 있었다. 그들은 알 수 없는 감정을 가슴 속에 담아두고, 그 순간을 소중히 간직하기로 했다. 그리고, 루미에의 밤하늘 아래, 둘은 서로의 마음 속에 새기지 못한 말들을 별들에게 속삭였다.

갑자기 루시의 심장이 빠르게 박동하기 시작했다. 그녀는 도무지 이유를 알 수 없는 불안감에 가슴이 답답해졌다. 레스토랑에서! 어떤 예고도 없이! 모든 공간이 어둠으로 뒤덮여지는 느낌이 들었고, 손목에 있던 시계의 숫자가 빠르게 바뀌기 시작했다. 그녀의 몸은 자연스럽게 그녀를 원래의 세계로 데려가고 있었다.

행복의 의미

그녀가 눈을 떴을 때는 자개장 앞이었다. 자개장을 바라보며 한숨을 쉬었다. 그녀의 심장은 아직도 빠르게 뛰고 있었고, 머릿속은 혼란스러웠다. 초조하게 시계를 확인하였다. 하루가 지났음을 알아챘다. 두 팔은 떨고 있었다. 머리가 지끈거렸다. 다시 천천히 자개장 바닥을 열었고, 바닥 안에 있던 노란색 사탕은 여전히 그곳에 놓여있었다. 사탕을 주워 자세히 살펴보았다. 사탕은 여전히 반짝이고 있었고, 그녀는 이 사탕이 자신을 다른 세계로 이끌어 줄 열쇠임을 알았다. 반짝이는 사탕을 조심스럽게 입에 넣은 루시는 그 달콤함이 입안을 감싸며 미소를 지었다. 잠시의 어지러움이 지나가고, 다시 그녀의 눈앞에는 루미에의 화려한 무지개색 하늘이 펼쳐졌다. 루미에는 이전과 다르게 조금은 익숙하게 느껴졌다.

루미에로 가던 중 루시는 어릴 적 할머니와 함께 보냈던 시간을 떠올렸다. 햇살 아래에서 할머니는 반짝이는 사탕에 관해 이야기를 해 주었다. 반짝이는 사탕을 먹게 되면 그 순간 지구에서 사라지고, 다른 세계로 이끈다고 했다. 그 세계는 현실에서의 어둠과 고독, 슬픔을 잊게 하는 장소라고 하였다. 그때는 그저 재미있는 동화처럼 들렸지만, 지금은 그것이 실제라는 사실에 놀라움을 감추지 못했다. 그녀의 발자국은 급하게 마을로 향하고, 마음은 무언가를 잃어버릴 것 불안감에 휘말렸다.

"루시, 다시 돌아왔군요!"

마디젠이었다. 그는 햇살 같은 미소로 루시를 반겼다.

루시는 마디젠에게 달려가 손을 잡으며

"루미에가 그리웠어요. 모든 순간이 제 마음속에서 계속 메아리쳤어요."

마디젠은 살짝 웃으며 그녀를 바라보았다.

루시는 잠시 망설였다. 어릴 적 할머니가 말해주었던 동화에 대해 생각했다. 루시의 눈에는 고민과 작은 불안이 비치고 입을 열었다.

"지구의 하루는 24시간인 것처럼, 루미에도 하루의 길이는 정확히 24시간이에요. 지구에서의 1시간이 루미에의 1분과 같다는 것이에요. 우리가 루미에서 하루를 보내면, 지구에서는 겨우 24분이 지나간 것뿐이에요. 루미에와 지구 사이에는 특별한 규칙이 있어요. 루미에에 머무를 수 있는 시간은 정확히 24시간, 즉 하루 동안만 지낼 수 있어요. 그 말은 여기에 도착한 후 24시간이 지나면 레스토랑에서처럼 지구로 돌아가게 돼요."

마디젠은 눈에 흐릿한 슬픔이 스쳐 가며,

"24시간... 그렇군요. 이 시간을 가장 소중하게 사용해야겠네요."

그들은 서로를 바라보며, 조금은 아쉬움이 담긴 미소를 나누었다. 이번에는 루시가 이 세계와 그들에게 주어진 시간이 얼마나 소중한지 알고 있었기에, 매 순간을 느꼈고, 루시의 루미에 생활은 계속되었다. 그녀는 소중한 24시간 동안 동화 같은 이곳에서 다양한 감정들과 행복을 찾았다.

시간이 지나 어느 날, 마디젠과 루시는 손을 잡고, 함께 호수를 거닐었다. 호수의 물결이 가볍게 일며, 부드러운 바람이 둘의 얼굴을 스쳐갔다. 마디젠의 손은 땀을 조금 흘렸고, 루시의 볼은 가볍게 붉어져 있었다.

"루미에는 정말 아름다워요. 이곳에서 시간에 구애 받지 않고 살고 싶어요."

루시는 솔직하게 말했다.

마디젠은 루시의 눈을 바라보며 대답했다.

"모든 순간이 소중해요. 루시."

서로를 바라보며, 말하지 않아도 느낄 수 있는 감정이 있었다.

조금 전까지 말이 없었지만, 마디젠은 마침내 용기를 내고 그녀에게 말했다.

"루시. 보여주고 싶은 게 있어요." 마디젠은 루시의 손을 부드럽게 잡았다.

그의 손은 따뜻하고 포근했다. 루시는 그의 눈빛에 흔들림 없는 진심을 보았고, 그를 따라갔다. 두 사람은 소복한 나무 그늘 아래, 좁고 구불구불한 산길을 따라 걸었다. 한참을 걷다가 마디젠은 루시를 어떤 언덕으로 데려왔다. 꼭대기에 도착했을 때, 아름다운 오로라가 넓게 펼쳐졌다. 수많은 별이 깜박이며, 공기는 신선하고, 바람이 살랑살랑 불고 있었다.

"어때요? 하늘 정말 멋지지 않나요?" 마디젠은 미소로 그녀를 바라보았다.

루시는 감탄을 하며 "너무 아름다워요. 여기는 어떻게 알게 되었나요?"

마디젠은 하늘을 바라보며 말했다.

"어릴 때 여기서 자주 놀았어요. 종종 혼자 이곳에서 시간을 보내면서요. 별들이 제 친구 같았어요."

그들은 잠시 동안 말 없이 그 아름다운 경치를 감상했다. 그리고 하늘에서 정말 큰 빛줄기가 지나갔다. 별똥별이었다. 루시는 눈을 크게 뜨며 감탄했다.

"와, 별똥별이에요! 빨리 소원 빌어요!"

두 사람은 잠시 눈을 감고, 각자의 소원을 빌었다. 소원을 빌고 눈을 떴을 때, 그들의 눈이 마주쳤다. 어색하고도 달콤한 순간이었다. 마디젠은 살며시 속삭였다.

"소원이 이루어지면 좋겠네요."

그들은 다시 하늘을 바라보며, 손을 꼭 잡았다. 그 순간, 둘은 말을 하지 않아도 알았다. 빛나는 별똥별 아래, 그들의 눈빛은 둘의 마음을 더욱 특별하게 만들었다. 루미에의 아름다운 풍경 속에서, 루시는 자신의 그림자와의 긴 싸움을 마치며 마음의 상처를 서서히 치유해 나갔다. 마디젠의 부드러운 손길은 그녀의 상처를 달래 주었고, 미소는 루시에게 행복의 의미를 다시금 상기시켰다.

사랑의 비밀과 기억

석 달이 흘러 루시는 햇살이 비추기 시작하는 환한 오전 자개장 앞에서 눈을 떴다. 흔들리는 기억 속에서 마디젠의 웃는 얼굴이 가물가물하게 떠올랐다. 그 웃음 속에서 흐르던 따스함이 어렴풋이 그녀의 마음을 간지럽혔다. 잠에서 깬 그녀는 무언가를 잊어버린 듯한 느낌에 조용히 이마를 찡그렸다. 루시는 고개를 빠르게 흔들며 일어나 앉았다. 방 안에 흩어져 있는 할머니의 사진들과 사탕이 눈에 들어왔다. 그녀의 눈은 자동으로 작은 사탕 상자를 향했고, 상자 안에 남아있는 빛나는 사탕들이 은은하게 반짝였다. 루시는 깊게 한숨을 쉬며 그 사탕을 조심스럽게 집어 들었다. 그 사탕이 행복한 세계로 데려갈 열쇠였지만, 동시에 미묘하게 그녀의 기억을 침식시키고 있었다. 루시는 손가락으로 사탕을 끄적였다. 바깥에서 새들의 지저귀는 소리가 들려왔다. 창문을 향해 발걸음을 옮기고, 따뜻한 햇살에 손을 대보았다. 그녀의 기억 속에서 마디젠의 목소리가 가까스로 들려왔다. 잠시 마디젠의 목소리에 기대어 눈을 감았다. 마음이 혼란스러웠다. 루미에로 다시 가서 마디젠을 만나고 싶은 마음이 컸지만, 그렇게 할수록 그녀는 자신을 잃어가고 있었다. 흐릿한 기억 속에서, 루시는 마을에서의 행복한 순간들, 마디젠과의 추억 그 모든 것들이 점점 사라지고 있음을 느꼈다. 그녀는 두 손으로 얼굴을 감싸며 가슴속으로 울컥 솟아오르는 절망감을 느꼈다. 무엇이 그녀를 이토록 괴롭히는지, 왜 마디젠과의 추억이 조금씩 사라지는지 알고 싶었다. 하지만, 루시는 다시한번 사탕을 손에 쥐며 눈을 감았다. 사탕을 입에 넣고, 순식간에 루미에로 떠났다. 마디젠의 미소가 그녀를 환영했다. 그러나 그의 눈빛은 약간의 슬픔을 담고 있었다. 마디젠은 그녀의 손을 잡고, 루시의 눈을 바라보았다. 루시의 목소리가 떨리며 말했다.

"왜 기억을 잃어가고 있는 걸까요?" 그녀의 두 눈에 눈물이 가득 찼다. 마디젠은 한 걸음 앞으로 나아가 그녀를 안았다, 손을 그녀의 얼굴에 가져다 대며

"루시, 이 사탕은 우리를 연결해 주었지만, 당신의 기억을 빼앗아가고 있어요…"

그의 목소리는 부드럽고 차분했다. 루시는 그의 넓은 가슴에 얼굴을 파묻으며

"이제 어떻게 해야 하죠? 모든 순간을 잃고 싶지 않아요" 그녀의 목소리와 표정은 무너지는 것 같았다. 마디젠은 루시의 볼에 손을 올려놓았다.

"루시, 기억이 잃어도 제 마음은 항상 당신을 향할 거예요. 약속해

요. 당신을 찾아낼 거예요. 만약 절 잊는다고 해도, 전 당신을 기억할 거예요. 당신은 나의 전부니까." 마디젠이 답했다.

루시는 깊게 숨을 쉬며

"저도 당신을 잊지 않도록 노력할게요. 그러니 저를 계속 잊지 말고 찾아주세요."

마디젠은 잠시 생각에 잠기더니 주머니에서 작은 펜던트 목걸이를 꺼냈다. 그것은 작은 은색 별 모양의 펜던트였다.

"같이 봤던 별똥별을 기억하나요?"

마디젠이 물었다. 루시는 그날의 기억이 스쳐 지나갔다.

"그럼요. 절대 잊을 수 없는 순간이었어요."

"저도 당신과 함께한 그 시간을 잊지 못해요. 이제 이 목걸이는 우리의 연결고리에요. 만약 제가 잊히더라도, 우리의 소중한 순간을 함께했으면 좋겠어요."

루시는 펜던트를 손에 꼭 쥐며 눈물을 흘렸다. 지금까지의 모든 순간이 그들의 마음속에서 영원히 살아 숨 쉬며, 언제나 그들을 하나로 연결해 줄 것이다.

빛과 그림자

루미에의 중앙 광장에서, 루시와 마디젠은 주민들과 함께 모여 괴물에 대한 대책을 이야기하고 있었다. 갑작스러운 침략으로 모두가 불안하고 두려워하고 있었다. 한 주민이 말했다.

"어릴 적 할아버지한테 들은 이야기가 있어요. 괴물들은 밝은 빛과 순수한 마음에 약하다고 들었어요."

루시는 반짝이는 눈으로 말했다.

"그럼, 우리 루미에의 모든 주민이 손을 잡고 모여, 괴물을 향해 밝은 빛을 보내면 어떨까요?" 마디젠은 미소를 지으며 대답했다.

"우리가 모두 함께하면 괴물들은 루미에 앞에선 무력해질 거예요."

마을의 주민들은 밤이 깊어 가는 가운데도 계획을 세웠다. 그들의 얼굴은 진지함으로 굳어져 있었고, 마음은 단단한 결의로 가득 차 있었다.

루미에로 온 지 24시간이 지난 그녀는 다시 지구의 화려한 자개장으로 돌아왔다. 그리고 유독 더 빛나 보이는 사탕을 손에 쥐고 있었다. 이번에 가게 되면 그녀는 마디젠과의 모든 순간을 잃게 될 것이다. 사탕을 잡고 강을 이루듯 슬픈 눈물이 마구 흘렀다.

'사랑하는 마디젠을 잊고, 모든 기억까지 모두 잃게 된다면 어떻게 살아갈 수 있을까?'

혼자 고독한 생각 속에 잠겼다. 그녀의 눈은 어느새 먼 곳을 바라보며 복잡한 감정들로 휩싸이게 되었다. 가슴은 쓸쓸한 공허했지만, 의외의 용기로 가득 차 있었다. 무거운 마음을 굳게 다잡고, 사탕을 손에 쥐었다. 단단한 사탕 속에 수많은 이야기와 감정, 선택이 담겨 있었다. 소중한 기억과 사랑, 마디젠의 얼굴이 그녀의 눈앞에 스쳐 지나갔다. 그녀는 자개장 안의 사탕을 주머니 안에 넣었다. 깊게 숨을 들이마시며 사탕을 입에 넣었다. 루미에 주민들의 눈에는 기대와 걱정, 그리고 믿음이 공존했다. 그들은 손을 모아 밝은 빛을 발산하기 시작했다, 그 빛은 그들 각자의 희망과 결의가 얽힌, 거대하고 눈 부신 빛으로 변해갔다. 마디젠은 루시가 돌아올 그 길을 지키기 위해 열심히 지켜냈다. 그의 눈에는 눈물과 함께, 확고한 결의가 반짝였다. 마침내, 루시의 모습이 희미하게 보였을 때, 마디젠의 가슴은 뜨거워졌다. 하지만, 그녀는 이전의 그녀와 다르게 보였다. 그녀의 눈빛 속엔 희생과 용기가 있었지만 무언가를 잃은 슬픔이 깊게 감돌고 있었다. 주민들의 빛은 검은색 생명체들에게 향하며 그들을 뒤로 밀어냈다. 주민들의 빛은 괴물들을 밀어냈고, 빛의 힘 앞에서 물러갔다. 싸움이 끝난 후의 마을은 무지개 빛이 돌아오고 한적했다. 그의 옷자락이 가볍게 풀들 사이로 흩날리는 것이 보였다. 루시는 마디젠의 모습을 바라보며 걸어갔다. 마디젠은 돌아보며, 미소를 지었다.

"루시, 우리가 해냈어요."

그들은 서로를 꼭 안았다. 그녀의 눈가에는 이미 머무르고 있던 눈물이 맺혀 있었다.

"저는 이제 돌아가야 해요."

루시의 말이 흘러나왔고, 그녀의 목소리는 애절했다. 그의 얼굴은 슬픔으로 일그러졌다.

"루시, 언제나 당신이 어디에 있든, 항상 기억할게요."

루시는 사탕을 주머니에서 꺼냈다. 그녀는 사탕을 바라보다 깊은 한숨을 쉬며, 그녀는 사탕을 마디젠 손에 건네주었다.

"우리를 연결해 준 사탕이에요. 갖고 있어 줘요"

그녀는 말했다. 마디젠은 사탕을 바라보며 눈물을 떨구었다. 루시와 눈이 마주쳤다. 그들은 서로를 향해 발을 내디뎠고 서로에게 안긴 순간 세상의 모든 시간은 멈춘 듯했다. 그녀의 팔은 그의 허리를, 그의 팔은 그녀의 어깨를 감싸며, 슬픔 속에서 서로를 느꼈다. 그들의 포옹은 마치 인연의 끈이 서로를 얽매는 것처럼, 하나로 연결하게 했다. 미련과 아쉬움, 사랑과 그리움, 모든 감정이 서로의 마음에 전해졌다. 사탕이 마디젠의 손가락 사이에서 바닥에 떨어지고, 그녀의 세계는 깜깜해졌다. 마디젠의 발 밑에서 사탕은 미세하게 반짝였고, 그녀는 다시 지구로 돌아가게 되었다. 마디젠과의 모든 기억과 추억, 그리고 마디젠에 대한 사랑마저도 잊게 되었다. 그러나 모든 기억이 사라진 그녀의 눈가에는, 설명할 수 없는 슬픈 눈물이 주르륵 흐르기 시작했다. 모호한 감정이 그녀의 마음속에서 흘렀다. 그것은 사랑일까? 슬픔일까? 혹은 미련일까? 그녀의 머릿속은 공허했지만, 무언가 그녀의 마음속을 쓸어내렸다. 너무도 아팠다. 이 아픔은 무엇인지, 정확히 알 수 없었다. 얼마나 많은 시간이 지났을까, 루시는 하루하루를 허전한 마음으로 보내고 있었다. 일상은 그대로였지만, 마치 자신의 마음 한 구석이 빈 듯한 느낌이었다. 그녀가 모르는 사이에도 가끔 눈물을 흘리곤 했다. 한편 루미에 행성에서 마디젠은 루시가 떠나고 난 뒤, 그녀를 생각하며 행성을 지키고 있었다.

몇 달이 지나 슬퍼하던 어느 날, 마디젠은 풀밭에서 자신이 잃어버렸던 작은 사탕을 발견한다. 그의 손이 떨렸다. 그는 망설임 없이 사탕을 입에 넣었다. 사탕은 그의 입 안에서 천천히 녹아들면서, 그를 이끌어 주었다. 작은 카페의 한쪽에서 루시는 혼자 앉아 있었다. 창밖의 햇살이 은은하게 들어와 그녀의 테이블을 밝혔다. 커피 컵을 손에 쥐며, 루시는 무엇인가를 고민하듯이 멍하니 바깥을 바라보고 있었다. 눈은 무뎌진 듯 보였으나 한편으로는 무언가를 갈구하고 있는 듯 보였다. 그녀의 눈은 창밖을 멍하니 바라보고 있었다. 그때, 조용한 문짝 소리와 함께 한 남자가 그녀의 앞에 섰다. 루시의 목에는 미묘하게 반짝이는 펜던트 목걸이가 걸려 있었다. 목걸이는 그녀의 과거 어둠과 현재의 따스한 빛을 이야기해 주었다. 마디젠은 그녀의 그림자를 걷어주었고, 상처받은 마음을 포근하게 감싸 안아줬다. 검은 마을의 침략 속에서도 루시는 마디젠의 빛을 되찾게 해준 것처럼. 서로 어둠 속에서 빛나는 별이 되어온 것이다. 한 줄기 빛이 그들 사이를 가르며, 마디젠와 루시는 서로의 눈을 고요히 바라보았다. 그녀의 눈은 확 트였다. 그 남자를 본 적은 없지만, 마음 깊은 곳에서 익숙함과 사랑의 감정이 올라왔기 때문이다. 둘은 서로를 바라보았다. 마디젠은 미소를 지었고, 따뜻한 눈물이 맺혀 있었다. 그 떨림과 설렘은 말하지 않아도 그의 마음에 전해졌다. 그들은 서로의 눈에 비친 자기 모습을 보았다. 그들은 함께 일 때 빛나고, 주위의 모든 것을 밝혀주었다. 이제 루시와 마디젠의 이야기는 새로운 시작을 열었다. 어두웠던 과거의 그림자는 그들 뒤로 사라지고, 밝고 행복한 미래가 그들을 기다리고 있다. 함께 빛나는 미래를 향해 한 발자국, 한 발자국 나아가며 펼쳐질 것이다.

나의 작은 변화로 알게 된

김시온

김시온   글을 읽고 쓰기 시작한 지 얼마 되지 않은, 그러나 글이 너무 좋아서 독서 모임 참여도 하고 있는 작가 김시온입니다. 생각보다 실행력이 좋은 스스로에게 새삼 놀라며 앞으로의 행보에 대해 기대하는 중입니다. 소설과 에세이 쓰기를 목표로 삶을 단단하게 다지고 있습니다. 모든 순간들에 느끼는 감정들을 '나의 언어'로 표현하겠습니다. 그리고 기억되는 한 줄을 위해 글을 쓰겠습니다.

인스타그램: @zion_0616

"세준아 그때 기억나? 우리 처음 봤을 때!"

"중학생 때, 아님 회사에서?"

"당연히 회사에서지. 중학생 때는 기억도 안 나. 네가 나 좋아해서 너만 기억나는 거지."

장난스럽게 나에게 말하는 라희를 보며 나도 장난스럽게 서운함을 표현했다.

"하···. 너 그렇게 말하는 거 아니다. 옆에 재혁이도 있는데 꼭 그렇게 말해야 돼?"

"근데 맞는 말이잖아. 얘가 중학생 때 라희, 너 엄청 좋아했었어. 너 이름이 기억 안 났는데 너네 둘이 사귀고 나서 딱 기억나더라"

옆에 있던 재혁이가 라희 말에 힘을 실어줬다.

오늘은 셋이 오랜만에 만나 신도림에 있는 '오사카로'라는 이자카야에서 술을 마셨다. 방금 우리의 대화에는 한 치의 거짓이 없어서 당황했다. 이미 라희도 알고 있는 내용이지만 민망해서 굳이 들춰내지 않았으면 하는 이야기였다.

정말 나와 재혁이는 중학생 때의 라희를 아는데 라희는 우리를 동급생 정도로만 알았을 것이다. 그도 그럴 것이 남녀 분반이었고 그저 먼발치에서 바라만 보다가 대화 한번 없이 중학교를 졸업했으니 라희가 그렇게 말할 만했다.

"세준이가 회사에서 나 보더니 잔뜩 떨리는 목소리로 명현중학교 졸업하셨냐고 물어보는 거야. 그래서 맞다고 얘기하는 데 말을 더듬으면서 바바 밥 한번 같이 드실래요? 이러더라고. 누군지도 모르는 같은 회사 사람이 내가 다닌 중학교도 아니까 스토커인 줄 알았잖아"

라희는 말을 하면서도 엄청 웃었다. 옆에서 나를 잘 아는 재혁이도 같이 크게 웃어댔다.

회사에서 라희를 처음 본 순간 단번에 알았다. 중학생 때 짝사랑하던 라희가 같은 회사에 있어서 너무 놀랐고 한 편으로는 다시 그때 그 감정이 올라와서 설레기도 했다. 처음에는 무슨 말로 말을 걸지 며칠을 고민하며 밤을 지새우다 피곤한 상태로 라희에게 말을 걸었다. 말도 더듬고 내가 누구인지도 말도 못 해서 라희가 미친 사람을 본 듯한 표정으로 "네? 누구세요"라고 말하는데 아차 싶었다.

술자리에서는 이렇게 웃고 떠드느라 정신이 없었다. 당연히 시간은 금방 흘러갔고 다음 날 출근해야 하니 일찍 파했다. 평소처럼 라희를 바래다주고 집에 가는 길에 나는 택시에서 온갖 추억에 젖었다.

알고 지낸 지는 15년이지만 이제서야 연인으로 만나고 있는 예쁜 라희. 라희는 나랑은 다른 건물에서 근무해서 같은 회사에 다니는지 전혀 몰랐다. 하지만 사귀고 나서 업무 핑계로 자주 라희를 보러 라희가 있는 건물로 갔었다. 그리고 내 과거를 알고 있는 중학생 때부터 쭉 친하게 지내온 재혁이. 재혁이는 호주에서 고교 시절을 보냈다. 페이스북 덕분에 다시 한국에 귀국했어도 어제 본 것처럼 아무렇지 않았다. 이렇게 나와 라희, 재혁이까지 셋이 보는 조합이 처음에는 믿기지 않았는데 라희랑 사귀고 나서 종종 봤더니 이제는 아무렇지도 않다.

라희랑 만나게 된 지 330일이 흘렀다. 곧 1년이 다 되어간다. 중학생 때는 부끄러워서 말도 못 걸었는데 회사에서 마주친 후로 용기 내서 말도 걸고 그 덕에 지금까지 잘 만나고 있다.

중학교를 졸업하고 라희가 SNS를 안 해서 라희의 소식을 전혀 접하지 못하다가 회사에서 만났으니 그동안 어떻게 살았는지, 어디 살고 있는지, 취미는 무엇인지 라희에게 궁금한 게 너무 많았다. 그러나 너무 조급해 보이지 않게 하나씩 천천히 물어봤다.

중학교 졸업 후에 본가인 대구에 가서 고등학교를 졸업하고 대학생 때 다시 서울로 왔다고 했다. 생활비를 벌기 위해 카페, 영화관, 음식점 등 여러 알바를 다 해봤다고 했다. 한 번에 3개까지도 해본 적 있다고 말하는 라희의 눈에는 자신감이 가득 차 있었다. 나는 고등학교 졸업 후, 10년째 같은 회사에 다니면서 야간대학도 다녔다고 지지 않는 열정을 보여줬다. 내 취미는 운동, 독서 및 공연 관람이고 요즘에는 주말에 호주로 유학 갔다 온 재혁이와 같이 영어 스터디도 하고 바쁘게 살고 있었다고 말했다. 다행히 라희도 운동을 좋아하고 내가 좋아하는 '유다빈밴드'도 좋아하고 있었다. 신기했다. 유명한 밴드도 아닌데 어떻게 알고 좋아하게 됐냐고 물어봤다.

"2019년 여름쯤에 마로니에 공원에서 무슨 대학가요제였나?. 친구 만나고 집 가는 길에 누가 노래를 너무 잘하는 거야. 그래서 멈춰서 무대 다 보고 갔잖아. 누군지 몰랐는데 무대 끝나고 MC가 '유다빈밴드' 라고 해서 그때부터 그 밴드 노래는 다 찾아 듣게 됐어"

말을 듣는 중에 너무 놀랐다. 나도 그날 그 자리에서 보고 있었다. 어쩌면 라희와 스쳐 지나갔을 수도 있다고 생각했다.

라희가 말하는 그 해에 혜화 마로니에 공원에서 머니투데이 대학가 요제를 한 적이 있었는데 유다빈밴드가 대상을 받았었다. 나는 무대 를 다 보면서 그 날 처음 본 유다빈밴드가 대상 받기를 바랐는데 정말 로 대상을 받아서 그 이후로 쭉 유다빈밴드의 음악은 찾아 듣는다고 말했다. 라희도 덩달아 놀라며 엄청 반가워했고 이어지는 대화 속에 서도 통하는 게 많다고 좋아하는 그녀의 모습에 확신이 들었다.

추억여행이 마무리될 무렵, 때마침 택시가 집 앞에서 멈췄다. 이제 다시 일상이다. 지긋지긋한 회사 생활을 이어가야 한다. 사원일 때 느 끼지 못했던 업무 스트레스가 대리가 되고 많이 느껴졌다. 아마 라희 도 같은 느낌이지 않을까.

라희가 대리로 진급한지 3개월 됐다. 라희도 요즘 스트레스가 많아 보였다. 대리로 진급했다고 어려운 업무만 들어온다며 종종 힘들어하 는 모습을 보였다. 그럴 때면 서로가 위로가 되어주려고 노력했다. 가끔은 퇴근하고 가까운 바다를 보러 강화도나 송도에 가거나 재즈 바에 가서 음악을 들으며 와인을 한 잔씩 하곤 했다. 라희가 스트레스 받는 만큼 나도 스트레스 받았다. 회사 생활이 쉽지 않다는 건 우리 둘다 무조건적인 공감을 했다.

결혼에 대해서도 슬슬 걱정되기 시작했다. 내년이면 31살이다. 아직 모아 놓은 돈이 겨우 3천만 원 정도다. 뉴스에서는 부동산 경기가 하락세여서 집값 또한 하락했다고 하는데 여전히 내 집 마련의 꿈은 꿈으로만 남기라는 현실이 애달프다. 돈을 더 많이 벌기 위해 공부해서 자격증을 따고 더 좋은 회사로 이직해야 하는데 "말처럼 쉬웠으면 진작에 했겠지" 하며 한숨을 푹푹 쉰다. 예전 같았으면 결혼은 천천히 해야겠다고 생각했지만 얼른 라희와 결혼을 하고 싶다는 생각이 들었던 일이 있었다.

300일 기념으로 콘래드 서울 호텔에서 호캉스를 했었다. 아름다운 한강의 야경이 너무나도 잘 보이는 근사한 식당에서 스테이크도 썰고 좋은 와인도 마시니까 돈이 꽤 나갔다. 서로 큰돈을 쓰긴 했지만 쓴 만큼 너무 좋았다. 라희의 표정도 너무 만족스러운 표정이었다. 식사를 마치고 우리는 바람이 시원하게 부는 한강을 걸었다. 기분이 좋아서 그런지 저마다의 표정들이 다 밝아 보였다. 라희도 공감하며 반응을 해주다가 나에게 오늘 어땠냐고 질문을 던졌다.

"당연히 너무 좋지. 진짜 먹어보고 싶던 스테이크도 먹고 바람도 선선하게 부는 이 좋은 날에 너랑 같이 한강 걷는데 너무 좋지."

라희는 잠시 뜸을 들이더니 이내 결심한 듯 얘기했다.

"앞으로 오늘처럼 이렇게 비싼 거 안 해도 돼. 선물도 굳이 비싼 거 안 해줘도 되고."

나는 오늘 데이트가 맘에 들지 않았나 만나기 전부터 방금까지 함께 보낸 시간을 복기했다. 날씨부터 분위기에 라희 표정까지 좋았는데 어떤 것 때문에 그런지 짐작도 안 됐다. 라희도 당황해하는 나를 의식했는지 바로 설명을 해줬다.

"원래 소소하게 행복을 얻는 걸 좋아하는데 이런 거 자주 하면 습관처럼 큰돈 쓰게 될 것 같아. 우리 나중에 커플링 맞추는 거도 이걸로 맞추자."

라희가 한껏 기대하는 표정으로 핸드폰을 내밀며 사진 하나를 보여줬다. 유니세프 후원 반지였다. 한 번도 보지 못했던 천사 같은 사람이 내 눈앞에 있었다. 기부라고는 초등학생 때 학교에서 크리스마스 씰로 불우이웃 돕기를 한다고 부모님께 2천 원을 받아 학교에 내본 기억이 마지막이었다. 라희는 이미 오래전부터 기부를 하고 있었는데 남자친구랑 같이 기부하고 커플로 액세서리를 맞추고 싶어 했다. 나는 당장 어떻게 해야 받을 수 있는지 확인하고 같이 정기 후원을 매달 3만 원씩 하기로 했다. 지금도 이 반지를 보고 있으면 그때 기억도 나고 얼른 돈 벌어서 라희와 함께 살 집을 마련하고 싶은 생각이 든다. 이제 2달째 후원금이 빠져나가는데 아깝다는 생각은 하나도 들지 않는다. 큰돈은 아니지만 오히려 기부를 통해 삶에 어려움을 겪고 있는 아이들에게 식량보장, 교육 기회 확대, 예방 접종 등 다양한 분야에서 도움을 주고 있음을 확인할 수 있어서 나 역시 마음이 따뜻해지는 걸 느낀다.

  셋이 만나고 며칠 뒤 주말, 재혁이와 영어 스터디를 마치고 가까운 술집에 가서 유니세프 후원 반지를 보여주며 라희와 했던 얘기를 꺼냈더니 재혁이가 이렇게 반응했다.

  "좋냐? 너는 세금 두 배로 내라. 라희 친구 중에 라희 같은 천사 없대? 한 번 찾아봐 줘 내가 영어 스터디도 너랑 가서 도와주잖냐"

  "찾아는 볼 텐데 말은 바로 하자. 내가 너 데리고 온 거야. 너 하도 방구석에서 게임만 하고 심심해하길래"

  재혁이가 수긍은 했지만, 아리송한 표정으로 나한테 질문을 했다.

  "근데 너 우리 셋이 만난 날 반지 없지 않았어?"

  재혁이의 날카로운 질문에 나는 가볍게 칭찬했고 본인 칭찬은 절대 놓치지 않는 녀석은 너스레를 떨며 한껏 칭찬에 취해 있었다. 겉보기엔 뽐내기만 좋아하는 친구 같지만 배려도 잘하고 내 말은 고맙게도 잘 들어준다. 내가 대단한 사람은 아니어도 재혁이 눈에는 열심히 살고 배울 것 많은 친구로 보이는지 내가 읽는 책과 꾸준히 하는 러닝, 크로스핏 같은 고강도 운동까지 따라서 한다. 그래서 이번에 굿네이버스나 월드비전 같은 다른 구호단체 소개를 해주며 후원하고 액세서리를 받으라고 말했더니 흔쾌히 알겠다고 했다. 이렇게 무엇을 하든 나를 믿어주는 친구에게도 말 못 한 사실이 하나 있는데 공부도, 운동도 자기계발 보다는 공허한 마음이 커서 자꾸 이것저것 채워보려고 시작했다. 모르는 사람과 소통하며 친해지려고 했는데 그런 성격이 못 돼서 재혁이랑만 다닌다. 어쩌면 이미 알고 있을지도 모른다는 생각 때문에 재혁이가 생각보다 더 괜찮은 친구라는 생각이 들었다.

기부한지 얼마 되지 않았지만 기부를 하면 마음이 따뜻해지고 돈이 어떻게 사용되는지 알 수 있게 운영된다며 기부에 대해 열변을 토했다. 내가 이렇게까지 말하는 이유는 기부하고 나서 나로 인해 누군가가 내일을 꿈꿀 수 있게 된다는 사실이 굉장히 크게 다가왔기 때문이다. 기부를 꾸준히 하는 사람들은 분명히 뿌듯함을 느낄 것이다.

같이 이런저런 이야기를 주고받고는 시간 가는 줄 모르고 떠들었다. 그때, 정신 차리라며 테이블 위에 있던 핸드폰이 연신 진동을 울려댔다. 라희가 와도 되냐고 전화로 물어봐서 나와 재혁이는 바로 오라고 했다.

밖을 봤는데 오전부터 구름이 하늘을 빽빽하게 덮어서 금방이라도 비가 올 것 같았다. 우산은 들고 왔는데 큰 우산이 아니어서 바람 불면 언제 뒤집어져도 이상하지 않은 우산이라 제발 비가 오지 않길 기도했다.

라희는 전화를 끊고 얼마 되지 않아 우리의 눈앞에 왔다. 멀리서 살짝 보였을 때 힘없이 걸어오다가 가게 앞에서 애써 밝은 척하며 들어온 것처럼 보였다. 걱정은 됐다만 오자마자 재혁이랑 장난치는 모습을 보니 그래도 마음이 조금은 놓였다.

"재혁아, 세준이 빼고 친구 없어? 우리 세준이 나랑 놀아야 해."

"내가 그래도 너보다 세준이랑 더 친하지 않을까?"

두 사람이 동시에 나를 봤다. 셋이 만나면 왠지 모르게 늘 당황하게 된다.

"재혁아 눈치껏 좀 빠져라, 나중에 잘 챙겨줄게"

"하... 됐다 15년을 알고 지내면 뭐 해 남자는 다 똑같아"

우리끼리 즐기는 술자리는 늘 즐거웠다. 아니 '즐겁다'보다는 '행복하다'라는 표현이 맞을까? 늘 그렇듯 오래가지 못할 행복이지만 어떻게든 만끽하고 싶었다. 누구를 만나도 라희나 재혁이를 만날 때만큼 편하고 행복할 때가 없다. 이들을 만날 때가 비로소 나에게 '쉼'인 것 같다. 회사 상사도 아니며 오랜만에 연락 와서는 보험을 영업한다든가 청첩장을 나눠주는 불편한 사람들이 아니다. 셋은 늘 변치 않았으면 하는 바람이다.

술자리가 마무리되어서 재혁이를 먼저 보내고 나는 라희를 집에 데려다주기 위해 길을 나섰다. 기도가 통했는지 다행히 비는 내리지 않았다. 그래도 언제 비가 올지 모르는 상황에 술까지 마셨으니 택시를 타고 가려 했으나 라희가 돈을 아끼자며 걸어가자고 했다. 재혁이가 집에 가고 나서야 술자리에서는 보이지 않던 그림자 진 표정을 한 채 라희가 고민이 있다며 한숨을 쉬었다. 좁고 깊게 친구를 사귀는 라희는 전부터 오은영 박사 같은 면모를 보이곤 했는데 라희의 친구들이 어느 순간 라희를 감정 쓰레기통으로 생각하는 것 같다고 한다. 특히 은지가 자주 그러는데, 라희가 평소에 거절도 잘하고 맺고 끊는 걸 잘한다고 생각하지만 은지한테는 그러지 못하는 자신한테 괴리감을 느끼는 것 같다.

라희가 매번 회사에서 스트레스 받고 오는 날이면 첫 회사에 비하면 아무것도 아니라며 훌훌 털어내는 모습을 보였는데 요즘은 아니다. 아마도 은지가 스트레스를 한몫 보탰기 때문일 것이다. 난 위로가 익숙하지 않아서 말없이 라희를 안았다. 힘없는 몸과 체온이 느껴진다.

"따뜻하지? 위로하는 게 어려워서 그냥 옆에서 안아줄게. 나한테다 털어놔 해결은 못 해줘도 얼마든지 기댈 수 있게 서 있을게."

라희는 한참을 아무 말 없이 안겨 있었다. 고요한 정적만이 남아있지만, 말로 전하지 못하는 감정이 고스란히 느껴졌다. 라희의 심리상태가 오늘 날씨처럼 잔뜩 구름이 낀 것 같다.

걱정과 위로가 함께 하는 길 위에서 우리는 맞잡은 손으로 따뜻한 감정을 서로에게 전달했다. 라희가 웃을 수 있게 평소보다 괜히 오버해서 말했다. 노력이 빛을 발했다. 집 앞에 도착할 때쯤 라희의 얼굴에 그림자가 걷혔다.

"잘 들어가! 아 맞다. 토요일 4시 30분 이디야커피 앞에서 보는 거 잊지 않았지?"

"당연하지 늦지 말고! 데려다줘서 고마워 잘 들어가"

우리는 아쉬운 마음에 잡고 있는 손을 바로 놓지 않고 아무 이유 없이 손만 흔들기를 반복하고 있었다. 가로등 불빛에 비치는 라희의 눈은 더 아름답게 빛났고 자연스레 내 시선은 라희의 입술을 향했다. 나는 라희의 허리를 감싸 안고 가볍게 입을 맞췄다. 라희의 손에 힘이 들어간 게 느껴진다. 1년 가까이 만났지만, 여전히 설레는 우리의 마음이 서로의 손끝에 느껴졌다.

토요일에 나와 라희가 좋아하는 유다빈밴드 콘서트에 가기로 했다. 같이 못 갈 뻔했는데 겨우 설득을 해서 갈 수 있게 되어 토요일이 특히 기다려졌다. 사실 한 달 전, 라희가 다른 친구와 유다빈밴드 콘서트에 갔다 왔다. 그래서 콘서트에 가기 보다 혜화에서 소극장 연극을 보고 싶어 했는데 연극보다 콘서트는 연간 횟수가 더 적어서 라희를 설득할 수 있었다. 고마운 마음에 콘서트가 끝나고 분위기 좋은 와인바도 가려고 다 알아 놨다. 준비는 완벽했다. 그저 토요일이 오기만을 기다렸을 뿐이다. 이틀 뒤면 토요일이니까 내일 하루는 아무 일 없이 기분 좋게 지나가길 바랐다.

바랐던 대로 아무 일도 일어나지 않고 금요일 회사 업무가 끝났다. 뉴스에서는 태풍이 북상하고 있다며 날씨가 한동안 좋지 않음을 강조했지만, 늘 하던 대로 운동하기 위해 크로스핏을 하러 갔다. 오늘의 운동은 금요일이라고 강도가 센 건지 날씨 탓에 몸이 무거운 건지 같이 운동하는 재혁이도 굉장히 힘들어했다. 격한 운동이라 운동이 다 끝나기도 전에 배고파서 먹고 싶은 것들이 떠올랐다. 보쌈에 막국수랑 소주가 제일 생각난다. 기름에 바싹 튀긴 바삭한 치킨도 너무 생각났다. 먹고 싶은 음식 생각 때문에 운동에 온전히 집중하지 못했다. 문득 재혁이를 쳐다봤다. 같은 생각이었던 걸까. 동시에 눈이 마주치고 힘듦으로부터 나온 헛웃음이 새어 나왔다. 고맙게도 재혁이가 먼저 같이 밥 먹고 가자고 했다. 운동 끝나고 운동의 의미를 잃지 않기 위해 밥을 먹고 집에 들어가는 걸 지양했지만 오늘만큼은 지양을 지양한다.

내가 보쌈에 막국수를 먹자고 강력히 주장해서 재혁이와 보쌈집에 갔다. 듬성듬성 비어 있는 자리가 우리를 향해 어서 와서 앉으라며 손짓하는 듯했다. 먹고 싶은 음식을 시키고 술도 한 잔, 두 잔 술술 들어갔다. 라희에게 전화가 왔다. 또 회사에서 무슨 일이 생긴 건 아닌지 걱정되는 마음에 밖에서 전화를 받았는데 별 내용이 아니어서 라희에게 들리지 않게 안도의 한숨을 쉬었다. 시시콜콜한 얘기를 나누다가 적당히 먹고 들어가겠다고 라희에게 말하며 통화를 마무리했다. 다시 자리에 앉으니 어디 갔다 왔냐며 재혁이가 추궁했다.

"너 통화하는 사이에 음식 나왔어. 빨리 먹어라. 아니 그건 그렇고 저기 저 테이블 사람들 우리랑 나이가 비슷한 거 같아. 대화 내용이 우리랑 똑같네"

재혁이가 목소리를 낮추고 손가락으로 뒤를 가리켰다. 들어보니 회사에서 연봉은 어떻고 나중에 뭐 해 먹고살지, 부업을 해야 하는지, 결혼은 할 수 있는지 이야기 소재가 끊이지 않았다. 나이 차이가 얼마 나지 않아서 다들 비슷한 고민을 안고 살아가고 있음을 다시 한번 느꼈다. 우리도 괜히 그 대화 내용에 맞춰서 대화하며 술을 마셨는데 이상하게 술술 잘 들어갔다. 돈 문제, 결혼 문제, 회사 문제들을 서로 고민이라고 꺼내 놓는데 한숨을 내쉬면서 누가 대신 인생을 살아줬으면 하는 바보 같은 희망사항을 말하고는 웃었다. 각자의 고민에 계속해서 술잔을 부딪혔다. 점점 취해간다. 그동안 많이 힘들었는지 오늘 하루에 다 풀어버리려는 듯이 떠들며 술병을 비워갔다.

집에 몇 시에 들어갔는지는 모르겠다. 방은 어두웠고 커튼 사이로 조그맣게 빛이 새어 들어왔다. 출근하지 않는 날은 햇빛이 날 깨우지 않길 바라는 마음으로 며칠 전 암막 커튼을 설치했다. 효과가 좋은 걸 확인하고 다시 눈을 감았다. 다가올 불행을 까맣게 모른 채.

잠에서 깰 무렵에 꿈이었는지 실제였는지, 암막 커튼의 효과를 봤던 것 같은데 기억이 확실하지 않다. 머리가 아프다. 어제 너무 과음했나? 머리맡에 둔 핸드폰을 켜 시간을 확인했다.

'3시 41분'

밖이 밝은데 3시 41분이면 새벽일 리는 없고 그렇다고 멀쩡하던 핸드폰에 문제가 생긴 건 더더욱 아닐 테니… 나는 현재 굉장한 위기에 직면했음을 깨닫는 데 그리 오래 걸리지 않았다. 무슨 정신으로 씻고 옷을 입었는지, 어떻게 버스 타러 갔는지 모른다. 머리는 제대로 말리지도 못해서 산발이다. 생머리이면 잘 가라앉을 텐데 반곱슬인 나 자신이 너무 싫었다. 그래도 어쩌겠는가. 남들 시선이야 신경 쓸 여유조차 없이 버스정류장 앞에 도착했다. 탈 수 있는 버스 3개 중에 가장 빠른 게 5분 후 도착이다. 바로 택시를 잡았다. 안 뛰어도 땀이 나는 것 같다. 분명히 늦는다. 홍대까지 택시 타고 가기에는 인천 사는 내게 부담이 너무 크다. 고속도로 상황도 모르니 전철을 타는 게 맞다고 판단했다. 부평역이 제일 가까운 역이어서 부평역까지 택시 타고 갔다. 택시에서 가방에 있던 핸드크림으로 머리까지 정리했다. 정리가 안되지만 안 쓰는 거보다는 나았다. 부평역에서 급행을 기다렸다. '2개 전역'. 전철 도착 예정 전광판에 보이는 글자들이 괜히 숨 막히게 했다. 평소 같았으면 방금 도착해서 2개 전역일 때 얼마 기다리지도 않으니 기분 좋게 기다리는데 지금은 1분 1초가 급하다. 라희한테 온 부재중 전화 3통에 여러 건의 카톡이 불안감을 고조시켰다. 어제 무리를 했던 게 원흉이었다. 정신과 호흡을 가다듬고 라희에게 전화하기 위해 핸드폰을 켰다. 시간은 4시 27분. 라희에게 전화를 걸었다. 들려오는 신호음이 심장을 연신 쳐 댄다. 얼마 지나지 않아 바로 전화를 받는 라희가 어디냐며 화를 냈다. 자초지종을 설명하고 크게 한 소리 들을 줄 알았는데 목소리가 차분해졌다. 괜히 더 무서웠다. 차갑게 식어버린 목소리에 감정이 안 담겨 있으니 등골이 서늘해진다. 도착 예정시간은 5시 17분. 이미 콘서트 1부는 못 보는 게 확정이다. 이미 이렇게 된 거 사과라도 잘 해야겠다 싶어서 핸드폰 메모장에 사과 편지를 적었다. 쓰고 읽어보고 지우고 반복해도 맘에 들지 않는다. 나였어도 굉장히 화날 거 같은데 무슨 사과를 해도 토라진 마음을 돌리기는 쉽지 않을 것 같았다. 그래도 열심히 쓰기 위해 아픈 머리를 부여잡고 끝까지 써냈다.

전철에서 내리고 최대한 뛰어갔다. 5시 20분에 도착했다. 멀리서 라희가 보일 때 라희는 손목에 시계를 한 번 보고는 한숨을 내쉬었다.

"…몇 시야?"

라희는 그동안 한 번도 보지 못했던 낮고 차가운 톤으로 내뱉었다. 전화로 듣던 것보다 더 마음이 심란했다.

"네가 콘서트 보자고 설득해서 여기 왔는데 오후가 넘어갈 때까지 연락도 안 되고 심지어 지각까지 해서 1부는 놓쳤고 이 기분으로 2부 보면 내가 좋을까? 내가 요즘 스트레스 받는 거 알면서 왜 그래"

입이 열 개라도 할 말이 없었다. 그저 미안하다는 얘기밖에 할 수 없던 내가 원망스러웠다. 전화로 이미 늦은 이유를 설명했지만, 다시 설명했다. 이해를 바라고 설명한 건 아니지만 정상참작이라도 바라는 피고인의 심정으로 말했다. 라희의 표정에 변화는 없었다. 다 듣고 나서도 매섭게 보는 눈초리는 할 말을 잃게 했다. 차가 지나가는 소음, 사람들의 대화소리가 계속해서 났지만 지금 내 귀에는 들리지 않았다. 그저 둘 사이에 맴도는 적막만이 존재했다. 그때, 라희에게 전화가 왔다. 미세하지만 라희의 표정에 변화가 있었다. 정확히 확인하지 못했지만, 라희의 핸드폰 화면에 '은지'라고 쓰여 있었고 이모티콘도 같이 있었다. 라희의 몇 없는 친한 친구다. 은지가 적절한 타이밍에 전화를 걸어줘서 너무 고마웠다. 라희는 잠깐 고민하더니 전화를 받았다. 은지가 무슨 말을 했는지 표정이 좋지 않았다. 잠깐 전화 받고 오겠다며 한 손으로 손짓하고는 자리를 떴다. 자리를 비운 채 떠나는 뒷모습과 지나가는 빨간색 1000번 버스가 보였다. 그렇게 다음 1000번 버스가 지나가고 나서야 왔다. 30분 정도 흐른 거 같은데 그사이에 언제 오냐고 차마 연락해 볼 수가 없었다. 나는 거의 1시간을 기다리게 했는데 고작 그것도 못 기다리냐고 핀잔 들을 수도 있다는 생각도 들었다. 오늘 하루 동안 지각한 건 외에 미안한 게 있으면 안 된다.

라희가 돌아와서는 친구한테 문제가 생긴 것 같다고 가본다고 했다. 내가 늦게 와서 기분 나쁜 건 알겠는데 이대로 친구 핑계로 간다고 하는 라희를 보내기엔 아쉽기도 했고 감정적으로 대하는 듯한 느낌을 주니 미안한 마음도 사라질 것만 같았다.

"내가 늦어서 네가 기분이 많이 나쁘다고 하지만 적어도 그런 말 하면서 가려면 무슨 일 인지는 먼저 나한테 설명해야 하는 거 아냐?"

"은지도 너처럼 일상에 지쳐서 너무 힘들대. 오늘 토요일인데 회사 가서 안 좋은 일까지 있었다고 울었어. 네가 어제 재혁이랑 술 마시면서 위로를 받았는지 어쨌는지는 모르겠지만 나도 가서 위로해 줄 거야. 그리고 지금 이 기분으로 너랑 데이트하면 싸우기만 할 거 같아."

구구절절 맞는 말에 이해되는 말이다. 그래도 이럴 때 붙잡지 않고 그냥 놔주면 안 된다고 나의 빅데이터가 긴급하게 사이렌을 울렸다.

"그러니까 어디 앉아서 대화하면서 풀어야 하지 않겠어?"

"그래 맞는 말인데 나는 너도 소중하지만 내 친구도 소중해. 나 대구에서 혼자 올라와서 힘들 때 많이 도와준 친구야. 그러니까 친구한테 갈 거야 붙잡지 마. 이따 전화할게, 그때 풀자."

라희의 확고한 의지를 듣고 더 이상 어떤 말도 할 수가 없었다. 아까는 은지에게 고마웠어도 지금은 고맙지 않다. 만나서 얼굴 보고 서운한 감정을 풀어내는 게 좋은데 전화로 풀게 되면 다시 만났을 때 어색한 기운을 많이 느끼는 경우가 많다. 생각은 이렇게 했어도 하고 싶은 말을 차마 온전히 할 수 없었다.

"그래 잘 가고 친구 잘 풀어줘 오늘 진짜 미안해 이따 다시 전화해서도 사과할게. 아니면 친구랑 시간 보내고 올 때 맞춰서 내가 너희 집 앞으로 갈게"

"아냐 오지 마. 피곤할 거야 서로 피곤한데 무슨 대화를 해 맑은 정신으로 다음에 얘기하자."

멀어져 가는 라희의 뒷모습을 바라보는 것 외에 어떤 것도 하지 못했다. 잠깐 멍했다. 건전지가 빠져버린 장난감 로봇처럼 그 자리에서 우두커니 서서 라희가 사라진 자리를 응시했다. 아까 전철에서 쓰던 사과 편지가 불현듯 떠올랐다. 다시 한번 읽어봤다. 몇 부분 수정해야 할 내용들이 보였다. 편히 앉아서 수정하려고 앉을 자리를 찾아봤지만 보이지 않아서 우선 버스정류장이 있는 큰 도로변으로 향했다. 걸으면서 다시 생각해 보니 그냥 이대로 보내기엔 잘못될 것 같은 느낌이 강하게 들었다. 아직 라희가 지하철을 타지 않았기를 주문 외우듯 되뇌며 홍대입구역으로 무작정 달렸다. 빨리 가서 잡아야 한다. 이런 문제를 '언젠가 해결되겠지' 하는 마음으로 내버려 두면 오히려 덧난다. 적어도 한 번도 한 적 없는 지각에 이렇게까지 화내는 이유라도 알아야 한다. 달리다 보니 라희의 뒷모습이 보인다. 라희가 홍대입구역 계단으로 내려가기 전에 라희의 손목을 잡고 돌려세웠다.

"내가 그 잠깐 사이에 생각을 많이 해봤는데 날 버려두고 갈 정도로 그렇게 화낼 일이야?"

"놔! 사람들 많은 곳에서 왜 이래?!"

라희는 내가 잡은 손을 뿌리치며 화를 냈다. 서운함이 밀려온다. 우리는 주변 사람들의 시선은 아랑곳하지 않고 말없이 서로를 노려봤다.

"이유나 좀 알자. 왜 그렇게까지 화내는 건데? 나 너 만나는 1년 동안 한 번도 늦어본 적 없고 이번에 처음 늦은 거야."

"그냥 늦은 게 아니라 재혁이랑 늦게까지 술 마시다가 못 일어나서 늦은 거잖아. 집 갈 때 연락은 왜 안 했는데?"

"그래. 그건 내가 진짜 잘못했어. 근데 내가 널 모를까? 다른 이유가 더 있는 거잖아. 말 좀 해봐"

말이 끝나기 무섭게 천둥이 치고 소나기가 내렸다. 급하게 나오느라 일기예보도 못 보고 우산도 못 챙겼는데 사람들은 들고 있는 우산을 일제히 폈다. 나는 깊은 한숨을 내쉬었다. 비 오는 타이밍이 어쩜 이렇게 최악일 수 있는지. 일단 라희의 손을 잡고 바로 옆에 있는 건물로 들어갔다. 빗물인지 눈물인지 라희의 볼 위로 물이 떨어졌고 이내 눈시울이 붉어져 있는 라희를 바라봤다. 빨리 무슨 말이라도 해주길 바라는 마음으로 침묵을 지켰다. 잠깐의 기다림 끝에 라희가 입을 열었다.

"나는 은지가 너무 좋거든. 근데 은지는 나만큼은 아닌가 봐."

예전과는 다르게 은지가 라희와의 약속에 종종 늦기도 하고 약속을 이중으로 잡아서 짧게 만난 후에 다음 약속 장소로 넘어가기도 했다고 한다. 처음에는 이해하고 넘어가려 했으나 반복되는 은지의 행동과 무성의한 사과에 실망하던 차, 라희를 만날 때마다 힘든 일들만 이야기하고 심지어 오늘은 울면서 전화까지 하니까 터져버린 것이다. 나에게는 잠깐 투정 부리고 말 생각이었는데 은지의 전화에 화가 나서 자리를 피하려고 데이트를 파투 냈다고 한다.

"그렇게 힘들면서 무슨 은지를 만난다고…"

"사실 은지 만나려고 한 게 아니라 집에 가려고 했어. 오늘 은지 만나면 싸우고 다신 안 볼 것 같아서…"

밖은 소나기로 흥건하게 젖고 있고 바람은 매섭게 불어서 바람 소리가 꽤 크게 들렸다. 라희가 추웠는지 몸을 떨면서도 애써 춥지 않은 척하는 모습이 안쓰러웠다. 비를 많이 맞지는 않았지만, 갑작스레 내리는 비에 바람까지 부니 처량함이 느껴졌다. 카카오 택시 앱을 켜고 라희네 집으로 주소를 찍었다. '3분 후 도착'이라는 알람과 함께 웃고 있는 택시 기사 아저씨 사진이 보인다. 지금 이 상황에 웃고 있는 사진 속 기사님이 부럽기도 하고 얄밉게 보이기도 했다. 잠시 후 건물 앞으로 비상등을 켠 택시가 도착했다. 라희를 데리고 같이 택시에 탔다. 한참을 말없이 창밖으로 떨어지는 비를 바라보며 갔다. 갑자기 손등에 체온이 느껴졌다. 라희가 내 손등 위에 손을 포갰다. 창밖을 바라보던 내 시선이 라희를 향했다.

"미안해. 말도 안 되는 핑계로 그냥 가버려서."

왜였을까. 그 순간, 눈물이 울컥 차올라 눈가에 맺혔다. 최대한 참아보려고 고개를 돌려 다시 창밖을 봤다. 먼저 손 내밀어 준 라희의 마음이 고마웠다. 집에 도착해서 택시에서 내렸다. 라희 손에는 우산이 들려있었는데 나 때문에 비를 맞았다. 미안한 마음에 내 집도 아닌데 얼른 들어가자고 했다. 집에 들어가자마자 라희가 부엌 찻장에서 캐모마일을 꺼내 차를 내주고는 금방 씻고 오겠다며 욕실로 들어갔다. 캐모마일 차가 심신 안정에 도움이 된다고 알고 있는데 찻장에서 꺼낼 때 보니 그동안 못 봤던 차류 박스들이 생겼다. 부엌에 가서 찻장을 다시 열어봤다. 온통 캐모마일 차 박스다. 혹시나 하는 마음으로 검색을 해보니 캐모마일이 심신 안정에 도움이 되는 게 맞았다. 라희도 여러모로 힘든 일이 많았던 것이다. 마음이 좋지 않았다. 어제의 나를 깊이 반성하게 된다.

과거를 돌이켜보면 그전 연애들은 오래 가지도 못했다. 싸우지 않고 흐지부지 끝나기 일쑤였고 지금까지 내 인생은 평범함과 평화로움의 연속이었다. 그래서 공허함이 느껴졌었나? 내 속에 빈 공간을 채우기 위해 하기 쉬운 운동이나 독서로 채워 넣고 영어도 배우며 노력했다. 그러다 남들 다 하는 연애를 한 지도 거의 1년이 다 되어가는데 처음 싸웠다. 내가 잘못했음에도 불구하고 1년간 쌓아왔던 감정을 잃을지도 모른다는 불안감에 라희에게 화를 냈다. 그런데 도리어 라희는 미안하다며 사과를 했다. 이런 사람을 어떻게 놓칠 수 있겠는가. 나에게 고마움을 알려준 사람, 나에게 미안함을 알려준 사람, 나에게 뿌듯함을 알려준 사람이다.

욕실에서 라희가 나왔다. 내 표정이 이상했는지 무슨 생각을 하냐며 물어봤다. 고맙고 미안하기도 한 복잡미묘한 표정인데 말로 설명하기는 어려웠다. 잠깐 뜸을 들이다 차향이 좋다며 말을 얼버무렸다. 라희가 씻고 와서 얘기하자며 전에 내가 갖다 놓은 옷을 줬다. 욕실에 들어가 빗물로 젖은 찝찝한 옷을 벗고 샤워기 물을 틀었다. 떨어지는 물이 부딪히는 소리가 좋게 들린다. 따뜻한 물로 씻으니, 기분이 좋아진다. 안도의 한숨과 함께 눈물이 나오려 하길래 얼른 다른 생각을 했다. 내가 라희에게 진심이었음을 다시 한번 느낀다. 나가면 무슨 말부터 해야 할지 고민했다.

샤워가 끝나고 옷을 입으면서 마음을 비웠다. 너무 무겁지 않게, 그렇다고 너무 가볍지도 않게 나가야겠다고 다짐했다. 문을 열고 나오니 라희가 서 있었다.

"뭐야. 왜 서 있어?"

"안아보게"

라희가 와서 살며시 안겼다. 그녀의 샴푸 향이 좋았다. 서로 같은 향이 나서 그런지 진하고 달콤했다. 남들은 100일만 지나면 슬슬 싸울 때가 됐다고 했는데 우리는 1년 가까이 만나면서 단 한 번도 싸운 적이 없었다. 그렇기에 이번에 싸우게 된 사건이 나에게는 너무나도 크게 다가왔다. 라희 역시 마찬가지라고 생각한다. 그러나 모두가 나 같을 수는 없기에 혹시나 '한 번의 실수로 라희가 토라져 버려 나에게서 돌아선다면?'이라는 끔찍한 상상을 했었다. 다행히 잘 풀리는 중이다. 이제 고맙다, 사랑한다. 입 밖으로 내 진심을 표현할 차례다. 가슴에 푹 안겨 있는 라희를 떨어뜨리고 말하려는데 그녀가 숨죽여 눈물을 흘리고 있었다. 라희가 그렁그렁 눈물 맺힌 눈으로 날 보더니 피식 웃으며 말했다.

"넌 뭘 잘했다고 울어?"

너무 행복하면 눈물이 난다는 누군가의 말은 들은 적 있다. 공감하지 못했는데 이제야 비로소 공감하게 됐다. 흘러내리는지도 몰랐던 눈물을 황급히 닦으며 누가 울었냐고 괜히 심술을 부렸다. 먼저 고맙다고, 사랑한다고 말하려 했는데 또 회사에서 라희와 처음 대화 한 날처럼 말을 더듬었다. 뭐라고 말했는지 기억도 안 난다. 이어서 라희는 가기 전에 붙잡아줘서 고맙다고 말하며 나에게 또 감동을 줬다. 라희도 홧김에 말하고 뒤돌아서서 가는데 속으로는 멈춰야 한다고 생각하면서 멈추지 못했다고 고백했다.

"좀 추웠는데 덕분에 속이 막 뜨거워진다. 고마워 라희야. 진짜 진짜 진짜 사랑해"

라희의 진심을 들으니 도저히 말하지 않을 수가 없었다. 이래서 연애할 때 한 번은 싸워야 한다고 하는구나 싶었다. 다른 때에도 서로 속에 있는 말들을 꺼냈지만, 오늘은 특히 마음 가장 깊숙한 곳에서 꺼낸 듯한 진심들이 오갔다. 자꾸 이것저것 도전해도 채워지지 않는 가슴한 켠이 오늘로써 채워졌다. 그동안 했던 연애는 연애가 아니었을지도 모른다. 풋풋한 소꿉놀이에 지나지 않았다. 라희도 내 진심을 느꼈는지 미소를 지으며 아름다운 눈동자를 내게 비췄다. 그녀의 입술이 내 입술 위로 포개진다. 따뜻함이 전해진다. 까치발을 든 채 나를 벽으로 살며시 밀었다. 그다음은 문으로, 침대로 움직이는 우리는 곳곳에 뜨거움을 남겼다. 물건들이 흐트러지고 선반에 있던 탁상 달력도 밑으로 떨어졌지만 아랑곳하지 않고 우리는 지금, 이 순간을 만끽했다.

사랑의 힘은 대단하다. 부족함은 채워주고 나의 바쁜 일상은 라희로 인해 덜어낼 용기가 생겼다. 채워지지 않는 무언가를 찾아서 노력했지만 결국 답은 사랑이었다. 사랑을 하는 순간을 통해서 우리는 인생의 행복을 경험한다. 당신은 사랑하고 있는가? 당신이 경험할 사랑을 위해 사랑을 줄 수 있는 사람이 되자.

조금 별나도 그게 우리니까

발행 2024년 1월 10일

지은이 스텔라, 즈비, 최지원, 정오, 김동규, 원지영, 예빛, 김시온

라이팅리더 양기연

디자인 윤소현

펴낸이 정원우

펴낸곳 글ego

출판등록 2019.06.21 (제2019-67호)

주소 서울시 강남구 강남대로 118길 24 3층

이메일 writing4ego@gmail.com

홈페이지 http://egowriting.com

인스타그램 @egowriting

ISBN 979-11-6666-434-2